CEDU(쎄듀)는 **A C**omprehensive **E**nglish e**DU**cation(종합적 영어교육)의 약자입니다.

저자

김기훈 現 ㈜ 쎄듀 대표이사
   現 메가스터디 영어영역 대표강사
   前 서울특별시 교육청 외국어 교육정책자문위원회 위원

저서 천일문 / 천일문 Training Book / 초등코치 천일문
   천일문 GRAMMAR / 첫단추 BASIC / 쎄듀 본영어
   어휘끝 / 어법끝 / 거침없이 Writing / 쓰작 / 리딩 플랫폼
   리딩 릴레이 / Grammar Q / Reading Q / Listening Q 등

쎄듀 영어교육연구센터

쎄듀 영어교육센터는 영어 콘텐츠에 대한 전문지식과 경험을 바탕으로
최고의 교육 콘텐츠를 만들고자 최선의 노력을 다하는 전문가 집단입니다.

인지영 책임연구원

원고에 도움을 주신 분 한정은

마케팅 콘텐츠 마케팅 사업본부
영업   문병구
제작   정승호
인디자인 편집 올댓에디팅
디자인 윤혜영
영문교열 Stephen Daniel White

Start
2

〈왓츠 Grammar〉 시리즈는 학습 단계에 따라 총 6권으로 구성되어 있습니다.
학습자의 인지 수준에 맞게 문법 설명을 세분화하였고, 단계적으로 학습할 수 있도록 설계하였습니다.

Start 1~3권은 초등 영문법을 처음 시작하는 학생들을 위해 개발되었으며,
초등 교과 과정의 필수 기초 문법을 담고 있습니다.
Plus 1~3권은 초등 교과 과정의 **필수 기초 문법 및 심화 문법**을 담고 있습니다.

Start와 Plus 모두 1권에서 배운 내용이 2권, 3권에도 반복 등장하여 **누적 학습이 가능**하도록 했습니다.

*하단 표에서 각 권에 새로 등장하는 개념에는 색으로 표시하였습니다.

Start 1-3
☑ 교육부 지정 초등 필수 문법 3~4학년 대상 (영어 교과서 기준)
☑ 초등 영어 문법을 처음 시작할 때

	Start 1		Start 2		Start 3
1	명사	1	명사와 관사	1	대명사
2	대명사	2	대명사와 be동사	2	be동사와 일반동사
3	be동사	3	일반동사	3	현재진행형
4	be동사의 부정문과 의문문	4	의문사 의문문	4	숫자 표현과 비인칭 주어 it
5	지시대명사	5	조동사 can	5	의문사 의문문
6	일반동사	6	현재진행형	6	형용사와 부사
7	일반동사의 부정문과 의문문	7	명령문과 제안문	7	전치사

Plus 1-3
☑ 교육부 지정 초등 필수 문법 5~6학년 대상 (영어 교과서 기준)
☑ 3~4학년 문법 사항 복습 및 초등 필수 영문법 전 과정을 학습하고자 할 때

	Plus1		Plus 2		Plus 3
1	명사와 관사	1	현재진행형	1	품사
2	대명사	2	미래시제	2	시제
3	be동사	3	과거시제	3	조동사
4	일반동사	4	조동사 can, may	4	to부정사와 동명사
5	형용사	5	의문사	5	비교급과 최상급
6	부사	6	여러 가지 문장	6	접속사
7	전치사	7	문장 형식		

❓ 초등 시기, 영문법 학습 왜 중요할까요?

초등, 중등, 고등을 거치면서 배워야 할 문법 사항은 계속 늘어납니다.
같은 문법 사항이더라도 중등, 고등으로 갈수록 개념이 확장되며,
점점 복잡한 문장이나 문맥 속에서 파악해야 하는 문제들이 출제됩니다.

초등에서 배운 문법 사항이 중등, 고등에서도 계속 누적되어 나오기 때문에
이 시기에 기초를 탄탄하게 잘 쌓지 못하면 빈틈이 생기기 쉽습니다.

〈왓츠 Grammar〉는 이러한 빈틈이 절대 생기지 않도록,
초등 교과 과정에서 반드시 배워야 하는 문법 사항을
누적·반복 학습이 가능한 나선형 커리큘럼으로 구성하였습니다.
또한, 갑자기 어려워지는 문제나 많은 문법 사항이 한꺼번에 나오지 않도록 **세심하게 난이도를 조정**하였습니다.

〈왓츠 Grammar〉는 처음 영어 문법을 배우는 아이들에게 자신감을 키워 줄 가장 좋은 선택이 될 것입니다.

🔍 지시대명사의 초등 ▸ 중등 ▸ 고등 차이 살펴보기

> **초등**
> What's **this**? 이것은 무엇이니? / **This** is my friend. 얘는 내 친구예요.

> 지시대명사 자체의 의미,
> 문장에서의 쓰임을
> 간결하게 다룹니다.

> **중등**
> [내신 기출] 다음 대화의 밑줄 친 부분 중 어법상 틀린 것은?
> A: My favorite subject is math.
> B: Really? I ① don't like math. It is difficult for me.
> A: **That** ② are(→ is) not a problem. I can help you.
> B: Thank you. You ③ get good grades in all subjects. Right?
> [풀이] That은 '하나'를 가리키므로 뒤에 be동사 is가 와야 합니다.

> 여러 문법 항목들이
> 뒤섞인 문맥 안에서
> 지시대명사가 주어일 때
> 연결되는 동사까지 함께
> 파악할 수 있어야 합니다.

> **고등**
> [내신 기출] 잘못된 부분을 찾아 앞뒤 문맥에 맞게 고쳐 쓰시오.
> People were always running up and down the stairs, and the television was left on all day. None of **this**(→ **these**) seemed to bother Kate's parents, they wandered around the house chatting with their kids and greeting their visitors.
> [풀이] 여기서 지시대명사는 앞에 나온 내용 전체를 가리키고 있는데, '사람들이 계단을 오르락내리락 하는 것', '텔레비전이 하루 종일 켜져 있는 것' 두 가지를 가리키므로 '여럿'을 가리키는 these로 고쳐야 합니다.

> 지시대명사가
> '사람, 사물'뿐만 아니라
> 문장 전체를 가리킬 수
> 있다는 확장된 문법
> 개념을 알아야 합니다.

Components 구성과 특징

Step ① 문법 개념 파악하기

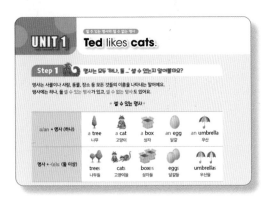

● 한눈에 들어오는 표와 친절하고 자세한 설명을 통해
  초등 필수 문법 개념을 쉽게 이해할 수 있어요.

● 문법을 처음 접하는 친구들도 충분히 이해할 수 있도록,
  문법 항목을 한 번에 하나씩 공부해요.

Tip! 말풍선과 체크 부분을 놓치지 마세요.
  헷갈리기 쉽거나 주의해야 할 내용을 담고 있어요.

Step ② 개념 적용하여 문제 풀기

● 다양한 유형의 문제를 풀면서 문법의 기본 개념을
  잘 이해했는지 확인해볼 수 있어요.

● 갑자기 어려운 문제가 등장하지 않도록,
  세심하게 난이도를 조정했어요.
  차근차근 풀어나가기만 하면 돼요.

Tip! 틀린 문제는 꼭 꼼꼼히 확인하세요.
  친절하고 자세한 해설이 도와줄 거예요.

Step ③ 문장에 적용 및 쓰기로 완성하기

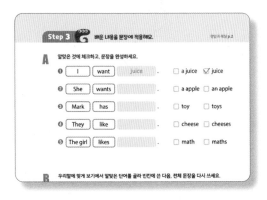

● 배운 문법을 문장에 적용하고 직접 써보세요.
  문장 전체를 쓰는 연습을 통해
  영어 문장 구조를 자연스럽게 학습할 수 있어요.
  문법은 물론 서술형 문제도 이제 어렵지 않아요!

Tip! 어순에 유의하며 써보세요.
  주어진 단어를 배열하여 문장을 완성하다보면
  영어 문장에 대한 감을 익힐 수 있을 거예요.

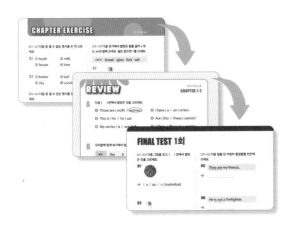

● 챕터별 연습문제 → 두 챕터씩 묶은 누적 REVIEW
→ FINAL TEST 2회분
3단계에 걸친 문제 풀이로 완벽하게 복습해요.

Tip! FINAL TEST 마지막 페이지에 있는 표를 활용해보세요.
틀린 문제가 어느 챕터에 해당하는지 확인하고,
나의 약점을 보완할 수 있어요.

틀린 문제가 어느 챕터에 해당하는지 확인하고, 복습해보세요				
1	2	3	4	5
Ch1	Ch1	Ch1	Ch1	Ch1
11	12	13	14	15
Ch2	Ch2	Ch3	Ch3	Ch3
21	22	23	24	25

UNIT별 드릴 형식의 추가 문제와 문법을
문장에 적용해보는 Grammar in Sentences로
각 챕터에서 배운 내용을 충분히 복습해 보세요.

UNIT별 초등 필수 영단어를 한 번 더 확인하고,
따라 쓰는 연습을 해보세요. 단어의 철자와 뜻을
자연스럽게 외울 수 있어요.

자세한 풀이 ➕

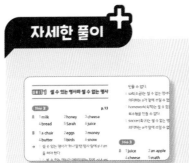

영어 문장의 우리말 뜻과
친절하고 자세한 해설을
수록하여 혼자서도 쉽고
재미있게 공부할 수 있어요.

무료 부가서비스

무료로 제공되는 부가서비스로 완벽히 복습하세요.
www.cedubook.com

① 단어 리스트　② 단어 테스트

5

Contents 차례

Study Plan

★ 10주 완성!

주 5일 **학습기준**이며, 학습 패턴 및 시간에 따라 **Study Plan**을 조정할 수 있어요.

*CH = CHAPTER, U = UNIT

	1일차	2일차	3일차	4일차	5일차
1주차	CH1 U1 Step 1, Step 2	CH1 U1 Step 3, 워크북	CH1 U2 Step 1, Step 2	CH1 U2 Step 3, 워크북	CH1 U3 Step 1, Step 2
2주차	CH1 U3 Step 3, 워크북	CH1 Exercise	CH2 U1 Step 1, Step 2	CH2 U1 Step 3, 워크북	CH2 U2 Step 1, Step 2
3주차	CH2 U2 Step 3, 워크북	CH2 U3 Step 1, Step 2	CH2 U3 Step 3, 워크북	CH2 Exercise Review CH1-2	CH3 U1 Step 1, Step 2
4주차	CH3 U1 Step 3, 워크북	CH3 U2 Step 1, Step 2	CH3 U2 Step 3, 워크북	CH3 U3 Step 1, Step 2	CH3 U3 Step 3, 워크북
5주차	CH3 Exercise Review CH2-3	CH4 U1 Step 1, Step 2	CH4 U1 Step 3, 워크북	CH4 U2 Step 1, Step 2	CH4 U2 Step 3, 워크북
6주차	CH4 U3 Step 1, Step 2	CH4 U3 Step 3, 워크북	CH4 Exercise Review CH3-4	CH5 U1 Step 1, Step 2	CH5 U1 Step 3, 워크북
7주차	CH5 U2 Step 1, Step 2	CH5 U2 Step 3, 워크북	CH5 Exercise Review CH4-5	CH6 U1 Step 1, Step 2	CH6 U1 Step 3, 워크북
8주차	CH6 U2 Step 1, Step 2	CH6 U2 Step 3, 워크북	CH6 U3 Step 1, Step 2	CH6 U3 Step 3, 워크북	CH6 Exercise Review CH5-6
9주차	CH7 U1 Step 1, Step 2	CH7 U1 Step 3, 워크북	CH7 U2 Step 1, Step 2	CH7 U2 Step 3, 워크북	CH7 Exercise Review CH6-7
10주차	FINAL TEST 1회	FINAL TEST 2회			

Before You Start 알아두기

동사의 종류

영어의 동사는 크게 be동사와 일반동사로 나눌 수 있어요.
조동사는 be동사와 일반동사를 도와주는 역할을 하는 동사예요.

be동사 ☞ CHAPTER 2

주어의 상태나 특징을 설명할 때 쓰는 동사로 am, are, is를 묶어 부르는 말이에요.
주어에 따라 알맞은 be동사를 써야 해요.

I **am** happy.
나는 행복하다.

He **is** a singer.
그는 가수이다.

일반동사 ☞ CHAPTER 3

'달리다, 공부하다'처럼 주로 동작이나 행동을 나타내는 말이에요.
주어가 무엇을 하고 있는지 알려 주는 역할을 해요.
주어에 따라 동사의 원래 모양(동사원형) 그대로 쓰거나, 동사 뒤에 -s 또는 -es를 붙여야 해요.

I **play** baseball.
나는 야구를 한다.

She **ride**s a horse.
그녀는 말을 탄다.

조동사 ☞ CHAPTER 5

동사를 도와 의미를 더해주는 말이에요.
혼자 쓰이지 않고 동사의 원래 모양(동사원형)과 함께 쓰이며, 어떤 주어가 와도 형태가 바뀌지 않아요.
*can(~할 수 있다), may(~해도 된다), will(~할 것이다) 등 여러 조동사가 있지만, 이번 권에서는 can에 대해서만 배워요.

I **can be** happy. 나는 행복할 수 있다.
I **can play** baseball. 나는 야구를 할 수 있다.
She **can ride** a horse. 그녀는 말을 탈 수 있다.

CHAPTER 1

명사와 관사

학습 목표

UNIT 1 **셀 수 있는 명사와 셀 수 없는 명사**

셀 수 있는 것과 셀 수 없는 것을 구분할 수 있어요.
Ted likes cats.

UNIT 2 **셀 수 있는 명사의 복수형**

사람, 동물, 물건이 여럿일 때 바꾸는 방법을 알아요.
They are children.

UNIT 3 **a/an/the + 명사**

명사 앞에 알맞은 관사를 쓸 수 있어요.
I see the moon.

UNIT 1 Ted likes cats.

Step 1 명사는 모두 '하나, 둘 ...' 셀 수 있는지 알아볼까요?

명사는 사물이나 사람, 동물, 장소 등 모든 것들의 이름을 나타내는 말이에요.
명사에는 하나, 둘 셀 수 있는 명사가 있고, 셀 수 없는 명사도 있어요.

+ 셀 수 있는 명사 +

a/an + 명사 (하나)	a tree 나무	a cat 고양이	a box 상자	an egg 달걀	an umbrella 우산
명사 + -(e)s (둘 이상)	trees 나무들	cats 고양이들	boxes 상자들	eggs 달걀들	umbrellas 우산들

✔체크 셀 수 있는 명사가 '하나'일 땐 명사 앞에 a나 an을 쓰고, '여럿'일 땐 명사 뒤에 -s 또는 -es를 붙여요. (☞ UNIT 2)

✔체크 an은 발음이 모음(a, e, i, o, u)으로 시작하는 명사 앞에 써요. (☞ UNIT 3)

+ 셀 수 없는 명사 +

정해진 모양이 없거나 알갱이가 너무 작은 것	bread 빵 sugar 설탕	cheese 치즈 salt 소금	butter 버터 rice 쌀	sand 모래
액체, 기체	water 물	milk 우유	juice 주스	air 공기
과목, 운동	English 영어	math 수학	soccer 축구	basketball 농구
사람, 나라, 도시 이름	Ted 테드	Korea 한국	London 런던	
만지거나 볼 수 없는 것	time 시간	love 사랑	hope 희망	
그 밖에 셀 수 없는 명사	money 돈	homework 숙제		

> 사람, 나라, 도시 이름 등은 세상에 하나뿐인 이름이기 때문에 항상 첫 글자를 대문자로 써야 해요.

✔체크 셀 수 없는 명사는 개수를 셀 수 없기 때문에 앞에 a나 an을 쓸 수 없고, 뒤에도 -e(s)를 붙일 수 없어요.
a bread (X) a soccer (X)

✔체크 money(돈)는 셀 수 없는 명사인 것에 주의하세요. 동전과 지폐는 셀 수 있지만, 모든 종류의 돈을 포함하는 개념인 money는 셀 수 없어요.

Step 2 문제를 풀며 이해해요.

A 다음 중 셀 수 없는 명사 6개를 찾아 동그라미 한 다음, 빈칸에 쓰세요.

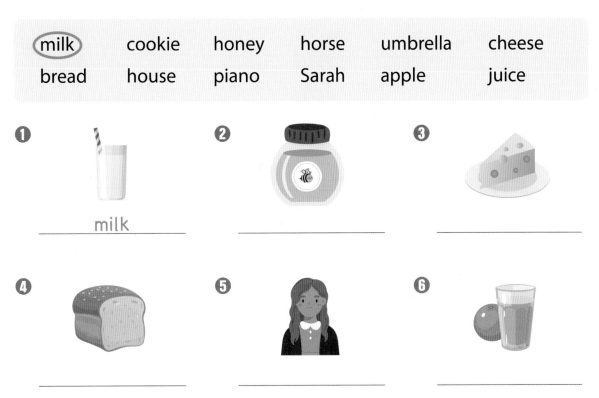

milk   cookie   honey   horse   umbrella   cheese
bread   house   piano   Sarah   apple   juice

❶ milk

❷

❸

❹

❺

❻

B 다음 그림을 보고, 알맞은 것을 고르세요.

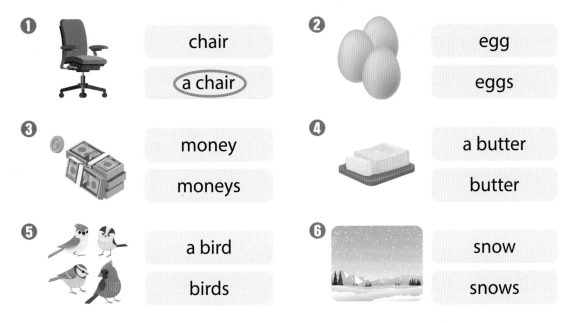

❶ chair / a chair
❷ egg / eggs
❸ money / moneys
❹ a butter / butter
❺ a bird / birds
❻ snow / snows

C 다음 빈칸에 a 또는 an을 쓰거나, 필요 없으면 ×를 쓰세요.

❶

_____a_____ girl

❷

_____ orange

❸

_____ rice

❹

_____ watch

❺

_____ butter

❻

_____ puppy

❼

_____ umbrella

❽

_____ desk

❾

_____ Peter

D 다음 문장에서 밑줄 친 부분을 바르게 고쳐 쓰세요.

❶ I like <u>a milk</u>.　　나는 우유를 좋아한다.　→ _____milk_____

❷ She has <u>pencil</u>.　　그녀는 연필이 한 개 있다.　→ _____

❸ Tom knows <u>judy</u>.　　톰은 주디를 안다.　→ _____

❹ He listens to <u>musics</u>.　　그는 음악을 듣는다.　→ _____

❺ Nora needs <u>waters</u>.　　노라는 물이 필요하다.　→ _____

❻ They have <u>a salt</u>.　　그들은 소금을 가지고 있다.　→ _____

❼ I have <u>homeworks</u>.　　나는 숙제가 있다.　→ _____

❽ The kids play <u>a soccer</u>.　　그 아이들은 축구를 한다.　→ _____

A 알맞은 것에 체크하고, 문장을 완성하세요.

❶ [I] [want] [juice] . ☐ a juice ☑ juice

❷ [She] [wants] [　　　] . ☐ a apple ☐ an apple

❸ [Mark] [has] [　　　] . ☐ toy ☐ toys

❹ [They] [like] [　　　] . ☐ cheese ☐ cheeses

❺ [The girl] [likes] [　　　] . ☐ math ☐ maths

B 우리말에 맞게 보기에서 알맞은 단어를 골라 쓴 다음, 전체 문장을 다시 쓰세요.

| 보기 | a | an | air | bread | umbrella |

❶ 나는 우산 한 개를 가지고 있다.

[have] [an umbrella] [I] .

→ <u>I have an umbrella.</u>

❷ Nick(닉)은 빵을 좋아한다.

[　　　] [likes] [Nick] .

→ _____

❸ 우리는 공기가 필요하다.

[need] [　　　] [We] .

→ _____

UNIT 2

They are **children**.

Step 1  명사가 하나보다 많을 때는 모양이 어떻게 바뀔까요?

명사가 하나일 때는 단수, 둘 이상일 때는 복수라고 해요. 명사의 복수형은 대부분 명사 뒤에 -s를 붙이지만,
다른 규칙들도 있어서 잘 알아두어야 해요.
그리고 예외적으로 이러한 규칙이 적용되지 않는 복수형도 있으니 꼭 외워두세요.

✛ 명사의 복수형 만드는 법 (규칙 변화) ✛

대부분의 명사	+ -s	boy 남자아이 → boys cat 고양이 → cats book 책 → books	dog 개 → dogs apple 사과 → apples
-s, -sh, -ch, -x로 끝나는 명사	+ -es	bus 버스 → buses dish 접시 → dishes watch 손목시계 → watches box 상자 → boxes	class 수업 → classes brush 붓, 솔 → brushes church 교회 → churches fox 여우 → foxes
'자음+y'로 끝나는 명사	y를 i로 고치고 + -es	baby 아기 → babies	city 도시 → cities
-f, -fe로 끝나는 명사	f, fe를 v로 고치고 + -es	leaf 잎 → leaves knife 칼 → knives	wolf 늑대 → wolves

✛ 명사의 복수형 만드는 법 (불규칙 변화) ✛

여럿일 때 모양이 달라지는 명사	man 남자 → men foot 발 → feet child 아이 → children	woman 여자 → women tooth 이, 치아 → teeth mouse 쥐 → mice
여럿일 때도 모양이 같은 명사	fish 물고기 → fish	sheep 양 → sheep

A 다음 ( ) 안에서 알맞은 것을 고르세요.

❶ bird   새   → ((birds) / birdes)

❷ class   수업   → (claasies / classes)

❸ baby   아기   → (babys / babies)

❹ knife   칼   → (knives / knifes)

❺ box   상자   → (boxs / boxes)

❻ bench   벤치   → (benchs / benches)

❼ dish   접시   → (dishes / dishs)

❽ candy   사탕   → (candys / candies)

B 다음 그림을 보고, 알맞은 것을 고르세요.

❶ foots / (feet)

❷ teeth / tooth

❸ womans / women

❹ childs / children

❺ mice / mouses

❻ sheep / sheeps

C 우리말에 맞게 주어진 단어를 빈칸에 알맞은 형태로 쓰세요.

❶ boy → three _____boys_____ 남자아이 세 명

❷ wolf → four _____ 늑대 네 마리

❸ watch → two _____ 손목시계 두 개

❹ flower → five _____ 꽃 다섯 송이

❺ sheep → six _____ 양 여섯 마리

❻ man → four _____ 남자 네 명

❼ child → seven _____ 아이 일곱 명

❽ fish → eight _____ 물고기 여덟 마리

D 다음 밑줄 친 부분을 바르게 고쳐 쓰세요.

❶ We have two <u>chaires</u>. → _____chairs_____
우리는 의자 두 개가 있다.

❷ Three <u>cookie</u> are on the dish. → _____
쿠키 세 개가 접시 위에 있다.

❸ Four <u>leafs</u> are on the table. → _____
나뭇잎 네 개가 테이블 위에 있다.

❹ They have three <u>brush</u>. → _____
그들은 붓 세 개가 있다.

❺ The baby has two <u>tooth</u>. → _____
그 아기는 이가 두 개 있다.

❻ Her house is between two <u>church</u>. → _____
그녀의 집은 두 교회 사이에 있다.

A 알맞은 것에 체크하고, 문장을 완성하세요.

❶ [I] [have] two classes . ☐ class ☑ classes

❷ [We] [have] five _____ . ☐ peachs ☐ peaches

❸ [They] [have] six _____ . ☐ sheep ☐ sheeps

❹ [They] [need] four _____ . ☐ knifes ☐ knives

❺ [You] [have] ten _____ . ☐ box ☐ boxes

B 우리말에 맞게 보기에서 알맞은 단어를 골라 바꿔 쓴 다음, 전체 문장을 다시 쓰세요.

| 보기 | two | three | four | puppy | tooth | child |

❶ 그 아기는 이가 네 개 있다.

[has] [four teeth] [The baby] .

→ The baby has four teeth.

❷ 그는 두 명의 아이들이 있다.

[He] [_____] [has] .

→ _____

❸ 우리는 강아지 세 마리가 있다.

[_____] [We] [have] .

→ _____

UNIT 3

I see **the moon.**

Step 1  a, an, the는 명사 앞에 어떨 때 쓰는 건가요?

a, an, the는 명사 앞에 쓰여 모자와 같은 역할을 하는 '관사'라고 해요. a와 an은 특정하지 않은 '하나, 한 개'를 나타내고 the는 특정하거나 세상에 하나뿐인 것을 가리켜 '그'라는 의미로 쓰여요.

+ a/an + 셀 수 있는 명사 하나 +

a + 자음 소리로 시작하는 단어	a cup 컵 a pencil 연필	a flower 꽃 a rabbit 토끼	a house 집 a window 창문
an + 모음(a, e, i, o, u) 소리로 시작하는 단어	an ant 개미 an igloo 이글루 an octopus 문어	an apple 사과 an owl 부엉이 an umbrella 우산	an eraser 지우개 an onion 양파 an uncle 삼촌

✔체크 a나 an은 특별히 정해지지 않은 것 '하나'를 의미해요.
I need **a pencil**. (나는 연필이 필요하다.) *특정한 연필이 아닌 일반적인 연필

+ the + 특정한 명사/세상에 하나밖에 없는 것 +

the + 특정한 명사	앞에 말한 명사를 다시 한 번 말할 때 I see **a dog**. **The dog** is so cute. 나는 개가 보여. 그 개는 정말 귀여워. 상대방이 무엇을 가리키는지 알 때 Look at **the rabbits**. They are so cute. 그 토끼들 좀 봐. 그것들은 정말 귀여워.
the + 세상에 하나밖에 없는 것	the sun 해　　the moon 달　　the sky 하늘 the sea 바다　　the earth 지구

✔체크 the는 셀 수 있는 명사, 셀 수 없는 명사 앞에 모두 쓰일 수 있어요.
The girl is my friend. (그 여자아이는 내 친구이다.)
She cuts **the cheese**. (그녀는 그 치즈를 자른다.)

20　왓츠 Grammar Start ❷

A 다음 그림을 보고, (　) 안에서 알맞은 것을 고르세요.

❶

((a) / an) ball

❷

(a / an) rabbit

❸

(a / the) sun

❹

(a / an) octopus

❺

(a / an) flower

❻

(a / an) onion

❼

(a / an) elephant

❽

(a / the) trees

❾

(a / the) earth

B 다음 (　) 안에서 알맞은 것을 고르세요.

❶ It is (a / (an) / the) ant.　　　　그것은 개미이다.

❷ Look at (a / an / the) moon.　　　달을 좀 봐.

❸ I have (a / an / the) aunt.　　　나는 이모가 있다.

❹ The birds are in (a / an / the) sky.　　그 새들은 하늘에 있다.

❺ I have (a / an / the) cat.　　　나는 고양이가 있다.

❻ It is (a / an / the) desk.　　　그것은 책상이다.

❼ He has (a / an / the) goat.　　그는 염소가 있다.

❽ (A / An / The) boys are my friends.　　그 남자아이들은 내 친구들이다.

C 우리말에 맞게 빈칸에 a, an 또는 the[The]를 쓰세요.

❶

I see _____a_____ boy. _____The_____ boy is happy.

나는 남자아이가 보여. 그 남자아이는 행복해.

❷

I see _____ pencil and _____ eraser.

나는 연필과 지우개가 보여.

❸

Look at _____ moon. _____ moon is round.

달을 좀 봐. 달이 둥근 모양이야.

❹

It is _____ bicycle. _____ bicycle is green.

그것은 자전거야. 그 자전거는 초록색이야.

❺

I see _____ umbrella. _____ umbrella is yellow.

나는 우산이 보여. 그 우산은 노란색이야.

❻

I see balloons. _____ balloons are in _____ sky.

나는 풍선들이 보여. 그 풍선들은 하늘에 있어.

❼

She has _____ car. _____ car is new.

그녀는 자동차가 있다. 그 자동차는 새것이다.

❽

They swim in _____ sea.

그들은 바다에서 수영을 한다.

A 알맞은 것에 체크하고, 문장을 완성하세요.

① | I | see | a rabbit | . ☑ a rabbit ☐ an rabbit

② | I | see | | . ☐ an puppy ☐ a puppy

③ | It | is | | . ☐ a octopus ☐ an octopus

④ | It | is | | . ☐ the moon ☐ a moon

⑤ | It | is | | . ☐ a igloo ☐ an igloo

B 우리말에 맞게 보기에서 알맞은 단어를 골라 쓴 다음, 전체 문장을 다시 쓰세요.

| 보기 | a | an | the | flowers | owl | spider |

① 그것은 거미이다.

| a spider | It | is | .

→ It is a spider.

② 그 꽃들 좀 봐.

| | Look at | .

→ _____

③ 나는 부엉이가 보인다.

| see | | I | .

→ _____

CHAPTER EXERCISE

[01~02] 다음 중 셀 수 없는 명사를 <u>두 개</u> 고르세요.

01 ① tooth ② milk
    ③ house ④ love

02 ① butter ② leaf
    ③ city ④ London

[03~04] 다음 중 셀 수 있는 명사를 <u>두 개</u> 고르세요.

03 ① music ② watch
    ③ child ④ math

04 ① bag ② water
    ③ cheese ④ friend

[05~06] 다음 중 명사의 복수형이 <u>잘못</u> 짝지어진 것을 고르세요.

05 ① child - children
    ② fish - fishs
    ③ church - churches
    ④ sheep - sheep

06 ① foot - feet
    ② dish - dishes
    ③ wife - wives
    ④ city - citys

[07~10] 다음 보기에서 알맞은 말을 골라 a 또는 an과 함께 쓰세요. 필요 없으면 ×를 쓰세요.

<보기> bread igloo fork salt

07

_____ _____

08

_____ _____

09

_____ _____

10

_____ _____

[11~12] 다음 빈칸에 들어갈 말로 알맞지 <u>않은</u> 것을 고르세요.

11

> She wants a _____ .

① bicycle   ② banana

③ cheese   ④ car

12

> I see six _____ es.

① brush   ② sheep

③ bus   ④ watch

[13~14] 다음 밑줄 친 부분이 <u>잘못된</u> 것을 고르세요.

13 ① They are <u>maps</u>.

② He is <u>james</u>.

③ She lives in <u>Korea</u>.

④ I see four <u>foxes</u>.

14 ① He likes <u>English</u>.

② I see two <u>babies</u>.

③ They are <u>leafs</u>.

④ I like <u>soccer</u>.

15 다음 중 앞에 the를 꼭 써야 하는 것을 고르세요.

① glasses   ② window

③ onion   ④ sun

[16~17] 다음 빈칸에 들어갈 말이 바르게 짝지 어진 것을 고르세요.

16

> I have ___ⓐ___ bike. ___ⓑ___ bike is blue.
>
> 나는 자전거가 있다. 그 자전거는 파란색이다.

       ⓐ   ⓑ

① a   –   The

② the –   A

③ an   –   An

④ the –   The

17

> I see ___ⓐ___ rabbit. ___ⓑ___ rabbit is cute.
>
> 나는 토끼가 보인다. 그 토끼는 귀엽다.

       ⓐ   ⓑ

① an   –   The

② a   –   The

③ the –   A

④ the –   An

[18~22] 다음 밑줄 친 부분을 바르게 고쳐 쓰세요.

18 I have a <u>orange</u>.

나는 오렌지를 가지고 있다.

→ _____

19 The <u>leafs</u> are yellow.

그 나뭇잎들은 노란색이다.

→ _____

20 <u>A moon</u> is big.

달이 크다.

→ _____

21 Dogs have four <u>foots</u>.

개는 발이 네 개다.

→ _____

22 Jessica has five <u>dress</u>.

제시카는 드레스 다섯 벌이 있다.

→ _____

[23~25] 다음 그림을 보고, 주어진 단어를 이용하여 문장을 완성하세요.

23

→ I see two _____ . (mouse)

24

→ I see three _____ . (man)

25

→ I see five _____ . (frog)

CHAPTER 2

대명사와 be동사

학습 목표

UNIT 1

주격 대명사와 be동사

You are great.

Step 1 be동사가 쓰인 문장에 대해 알아볼까요?

대명사는 앞에서 말한 명사를 대신하는 말이에요. 대명사 중 주어 자리에 오는 대명사를 주격 대명사라고 해요.

+ 주어 자리에 오는 대명사: 주격 대명사 +

	주격 대명사	
단수 (하나)	I 나는	I am at home. 나는 집에 있다.
	You 너는	You are tall. 너는 키가 크다.
	He/She/It 그는/그녀는/그것은	Henry is my friend. He is honest. 헨리는 내 친구이다. 그는 정직하다.
복수 (여럿)	We/You/They 우리는/너희들은/그들은, 그것들은	Lily and I are friends. We like cats. 릴리와 나는 친구이다. 우리는 고양이를 좋아한다.

✅ 체크 주어: 문장에서 주인 역할을 하며, 문장 맨 앞에 와요. 우리말의 '~은, ~는, ~이, ~가'에 해당돼요.
주로 주어 자리에는 명사, 대명사가 와요.

✅ 체크 We는 'I(나)'를 꼭 포함하기 때문에 「____ and I (~와 나)」를 의미해요.
Lucy and I (루시와 나) / My sister and I (언니와 나) → We (우리)

+ 주격 대명사와 be동사 +

> 대명사 주어와 be동사는 줄여 쓸 수 있어요.

단수 (하나)	복수 (여럿)
I am = I'm	We are = We're
You are = You're	You are = You're
She/He/It is = She's/He's/It's	They are = They're

+ be동사의 뜻 +

be동사 + 명사	~이다	She is a magician. 그녀는 마술사이다.
be동사 + 형용사	(어떠)하다	I am hungry. 나는 배가 고프다.
be동사 + 장소	~(에) 있다	The book is on the desk. 그 책은 책상 위에 있다.

✅ 체크 형용사는 명사를 꾸며주거나 명사의 상태를 설명해주는 말이에요.
big(큰), small(작은), happy(행복한), angry(화가 난), sad(슬픈), hungry(배고픈), pretty(예쁜) 등

A 우리말에 맞게 보기에서 알맞은 것을 골라 문장을 완성하세요.

보기	I	We	You	She	He	It	They

❶ _____She_____ is a firefighter. 그녀는 소방관이다.

❷ _____ are soccer players. 우리는 축구선수이다.

❸ _____ is a butterfly. 그것은 나비이다.

❹ _____ are famous. 당신은 유명하다.

❺ _____ is in the living room. 그는 거실에 있다.

❻ _____ are hamsters. 그것들은 햄스터들이다.

❼ _____ am in the park. 나는 공원에 있다.

B 다음 밑줄 친 부분을 알맞은 대명사로 바꿔 쓰세요.

❶ <u>You and Chris</u> are busy. → _____You_____

❷ <u>Jenny</u> is my sister. → _____

❸ <u>You and I</u> are classmates. → _____

❹ <u>The movie</u> is fun. → _____

❺ <u>The puppies</u> are cute. → _____

❻ <u>My grandpa</u> is in the kitchen. → _____

❼ <u>The computer</u> is old. → _____

❽ <u>Nate and I</u> are friends. → _____

❾ <u>The balls</u> are in the box. → _____

C 다음 보기에서 알맞은 be동사를 골라 빈칸에 쓰세요.

보기	am	are	is

① They ___are___ pilots. 그들은 비행기 조종사들이다.

② It _____ a calendar. 그것은 달력이다.

③ We _____ in the living room. 우리는 거실에 있다.

④ The river _____ long. 그 강은 길다.

⑤ He _____ a pianist. 그는 피아니스트이다.

⑥ Grapes _____ delicious. 포도들은 맛있다.

⑦ You and I _____ singers. 너와 나는 가수이다.

⑧ The cups _____ on the table. 그 컵들은 테이블 위에 있다.

⑨ My uncle _____ an actor. 나의 삼촌은 배우이다.

⑩ Three children _____ in the park. 세 명의 아이들이 공원에 있다.

D 다음 주어진 단어를 알맞은 대명사로 바꾸고, (   ) 안에서 알맞은 것을 고르세요.

① My dad → ___He___ ((is) / am) in the room.

② The roses → _____ (is / are) pink.

③ The pencil → _____ (is / are) short.

④ David and I → _____ (is / are) baseball players.

⑤ Kelly → _____ (is / are) a dentist.

⑥ Oranges → _____ (is / are) in the basket.

A 알맞은 것에 체크하고, 문장을 완성하세요.

❶ | They | are | pandas | . ☐ is ☑ are

❷ | | are | sleepy | . ☐ He ☐ We

❸ | The milk | | cold | . ☐ is ☐ are

❹ | | are | bus drivers | . ☐ They ☐ It

❺ | My aunt | | a scientist | . ☐ are ☐ is

B 우리말에 맞게 알맞은 be동사를 넣고, 대명사 주어로 바꿔 전체 문장을 다시 쓰세요.

❶ 나의 삼촌은 선생님이다.

| My uncle | is | a teacher | .

→ He is a teacher.

❷ 개구리들이 연못에 있다.

| Frogs | | in the pond | .

→ _____

❸ 나의 할머니는 행복하시다.

| My grandma | | happy | .

→ _____

UNIT 2

be동사의 부정문과 의문문

He **is not** busy.

Step 1 be동사의 부정문과 의문문에 대해 알아볼까요?

'~이 아니다'라는 뜻을 나타내려면 be동사 바로 뒤에 not을 붙이고,
'~이니?'라고 묻는 문장을 만들 때는 주어와 be동사의 순서만 바꿔주면 돼요.

＋ be동사 부정문: am/are/is + not ＋

> am not은 줄여 쓸 수 없는 것에 주의하세요.

	주어	be동사 + not	be동사 + not 줄임말	주어 + be동사 줄임말
단수 (하나)	I	am not	X	I'm not
	You(너)	are not	aren't	You're not
	He/She/It	is not	isn't	He's/She's/It's not
복수 (여럿)	We/You(너희들)/They	are not	aren't	We're/You're/They're not

＋ be동사 의문문: Am/Are/Is + 주어 ~? ＋

	질문	Yes로 대답 (긍정) 응, 그래.	No로 대답 (부정) 아니, 그렇지 않아.
단수 (하나)	Are you(너) ~?	Yes, I am.	No, I'm not.
	Is he/she/it ~?	Yes, he/she/it is.	No, he/she/it isn't.
복수 (여럿)	Are we ~?	Yes, you are.	No, you aren't.
	Are you(너희들) ~?	Yes, we are.	No, we aren't.
	Are they ~?	Yes, they are.	No, they aren't.

✓체크 No로 대답할 때는 'be동사+not'의 줄임말을 쓰지만, Yes로 대답할 때는 줄임말을 쓰지 않아요.
Yes, **he's**. (X) No, he **isn't**. (O)

✓체크 주어가 명사인 질문에 대답할 때는 주어를 알맞은 대명사로 바꿔 대답해야 해요.
Q: **Is your brother** tall? (네 형은 키가 크니?)
A: Yes, <u>he</u> is. (응, 그래.) / No, <u>he</u> **isn't**. (아니, 그렇지 않아.)

A 다음 ( ) 안에서 알맞은 것을 고르세요.

❶ I ((am not) / are not) a singer.   나는 가수가 아니다.

❷ It (am not / isn't) a post office.   그것은 우체국이 아니다.

❸ The rooms (isn't / aren't) clean.   그 방들은 깨끗하지 않다.

❹ My sister (is not / are not) short.   나의 언니는 키가 작지 않다.

❺ (Is / Are) you hungry?   너는 배고프니?

❻ (Am / Are) they twins?   그들은 쌍둥이니?

❼ (Is / Are) he from Australia?   그는 호주에서 왔니?

❽ (Is / Are) your brother a student?   네 형은 학생이니?

B 다음 그림을 보고, 보기에서 알맞은 것을 골라 빈칸에 쓰세요.

보기	am	am not	is	isn't	are	aren't

❶

Liam ____is____ a nurse.

He ___isn't___ a doctor.

❷

It _____ a car.

It _____ a bicycle.

❸

I _____ sad.

I _____ _____ happy.

❹

Tom and I _____ at the park.

We _____ at home.

C 다음 빈칸에 알맞은 말을 쓰세요.

❶ Q <u>Are</u> <u>you</u> a student? **A** Yes, I am.

❷ Q _____ _____ your neighbors? **A** Yes, they are.

❸ Q _____ _____ an actor? **A** No, he isn't.

❹ Q Are they late? **A** No, _____ _____.

❺ Q Is she a teacher? **A** Yes, _____ _____.

❻ Q Is it a bird? **A** No, _____ _____.

D 다음 그림을 보고, 빈칸에 알맞은 말을 쓰세요.

1    2    3

❶ Tom <u>is</u> a cook. He <u>isn't</u> a dentist.

❷ Ted and I _____ dancers. We _____ singers.

❸ Mark and Andy _____ tall. They _____ short.

4   5   6

❹ Q _____ it brown? **A** Yes, _____ _____.

❺ Q _____ they shoes? **A** No, _____ _____.

❻ Q _____ you a police officer? **A** Yes, _____ _____.

A 알맞은 것에 체크하고, 문장을 완성하세요.

❶ | Kate | isn't | a farmer | .   ☑ isn't ☐ aren't

❷ | The men | | from France | .   ☐ isn't ☐ aren't

❸ | The train | | fast | .   ☐ isn't ☐ aren't

❹ **Q** | | | angry | ?   ☐ Is your brother
☐ Are your brother

    A | Yes | , | he | | is | .

B 우리말에 맞게 알맞은 단어를 넣고, 전체 문장을 다시 쓰세요.

❶ 당신은 비행기 조종사인가요?

| a pilot | | Are you | | ? |

➔ <u>Are you a pilot?</u>

❷ 그녀와 나는 사촌이 아니다.

| cousins | | She and I | | | .

➔ _____

❸ Chris(크리스)는 네 친구니?

| your friend | | ? | | |

➔ _____

UNIT 3

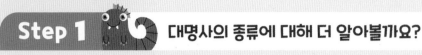

소유격 대명사와 지시대명사
This is my bag.

Step 1 대명사의 종류에 대해 더 알아볼까요?

소유격 대명사는 '~의'라는 뜻으로 명사 앞에 쓰여 누구의 것인지 나타내는 말이에요.

지시대명사는 '이것(들)', '저것(들)'의 의미로 사람, 동물, 장소, 사물을 가리키는 말이에요.
this와 these는 가까이 있는 것을 가리키고, that과 those는 멀리 있는 것을 가리켜요.

＋ 소유격 대명사 ＋

주격	소유격 (~의)		주격	소유격 (~의)	
I	**my**	나의	we	**our**	우리의
you	**your**	너의	you	**your**	너희들의
he	**his**	그의	they	**their**	그들의
she	**her**	그녀의			
it	**its**	그것의	they	**their**	그것들의

✔체크 소유격 대명사 뒤에는 항상 명사가 와요. **your** book (너의 책), **his** cat (그의 고양이)

＋ 지시대명사 this/that + is ＋

this	(가까이 있는) 이것, 이 사람	**This is** my bag. 이것은 내 가방이야. **This isn't** my sister. 이 사람은 내 언니가 아니야.
that	(멀리 있는) 저것, 저 사람	**Q Is that** your book? 저것은 네 책이니? **A** Yes, **it is**. 응, 그래. / No, **it isn't**. 아니, 그렇지 않아.

✔체크 That is는 That's로 줄여 쓸 수 있어요. **That's** my brother. (저 사람은 내 형이야.)

＋ 지시대명사 these/those + are ＋

these	(가까이 있는) 이것들, 이 사람들	**Q Are these** his socks? 이것들은 그의 양말이니? **A** Yes, **they are**. 응, 그래. / No, **they aren't**. 아니, 그렇지 않아.
those	(멀리 있는) 저것들, 저 사람들	**Those are** my toys. 저것들은 내 장난감들이다. **Those are** his parents. 저분들은 그의 부모님이다.

✔체크 의문문에서 this와 that은 **it**으로, these와 those는 **they**로 대답해요.

A 우리말에 맞게 ( ) 안에서 알맞은 것을 고르세요.

❶ This is ((my) / I) eraser.　　　　　　　이것은 내 지우개이다.

❷ That isn't (your / you) book.　　　　　저것은 네 책이 아니다.

❸ These are (its / her) shoes.　　　　　이것들은 그녀의 신발이다.

❹ This is (their / they) house.　　　　　이것은 그들의 집이다.

❺ Those aren't (he / his) erasers.　　　저것들은 그의 지우개들이 아니다.

❻ These are (my / I) brothers.　　　　　이 사람들은 내 형제들이다.

B 다음 그림을 보고, ( ) 안에서 알맞은 것을 고르세요.

❶
((This) / That) is a rabbit.
(This / That) is a dog.

❷
(These / Those) are forks.
(These / Those) are dishes.

❸
(This / That) is my bike.
(This / That) is my bag.

❹
(This / That) is my teacher.
(These / Those) are my friends.

C 다음 ( ) 안에서 알맞은 것을 고르세요.

❶ **Q** ((Is) / Are) that a kite?   저것은 연이니?

   A Yes, (this / (it)) is.   응, 그래.

❷ **Q** Are (this / these) cups?   이것들은 컵들이니?

   A No, (it / they) aren't.   아니, 그렇지 않아.

❸ **Q** Is (this / these) your watch?   이것은 네 손목시계니?

   A No, (it / that) isn't.   아니, 그렇지 않아.

❹ **Q** (Is / Are) those her pencils?   저것들은 그녀의 연필들이니?

   A Yes, (they / these) are.   응, 그래.

D 우리말에 맞게 보기에서 알맞은 것을 골라 빈칸에 쓰세요.

보기	is	are	isn't	aren't	your	our	her
	this	that	these	those			

❶ 저것들은 호랑이들이 아니다. → ___Those___ ___aren't___ tigers.

❷ 이것들은 내 공책들이다. → _____ _____ my notebooks.

❸ 이것은 그의 가방이 아니다. → _____ _____ his bag.

❹ 저것은 햄스터니? → _____ _____ a hamster?

❺ 이것들은 그녀의 쿠키들이다. → _____ are _____ cookies.

❻ 저 아이들은 우리의 친구들이다. → Those _____ _____ friends.

❼ 이것은 네 고양이니? → Is _____ _____ cat?

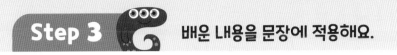
A 알맞은 것에 체크하고, 문장을 완성하세요.

❶ Those   are | her | | hats | .   ☐ That is   ☑ Those are

❷ _____   _____ | my | | aunt | .   ☐ This isn't   ☐ These aren't

❸ | These | | are | _____ | books | .   ☐ they   ☐ their

❹ | Are | | those | _____ | glasses | ?   ☐ he   ☐ his

❺ _____   _____ | your | | camera | .   ☐ That is   ☐ Those are

B 우리말에 맞게 알맞은 단어를 넣고, 전체 문장을 다시 쓰세요.

❶ 이것들은 내 연필들이다.

| pencils | | my | ┆ These are ┆ .

→ ___These are my pencils.___

❷ 이것은 그녀의 집이 아니다.

| house | | her | ┆ _____ ┆ .

→ _____

❸ 저 사람이 네 사촌이니?

┆ _____ ┆ | Is | | cousin | | ? | | that |

→ _____

[01~03] 다음 그림을 보고, ( ) 안에서 알맞은 것을 고르세요.

01

We (isn't / aren't) police officers.

02

(It is / They are) lamps.

03

(That is / Those are) a horse.

04 다음 빈칸에 들어갈 말로 알맞지 <u>않은</u> 것을 고르세요.

_____ is my grandmother.

① She   ② This

③ Those   ④ That

05 다음 빈칸에 들어갈 말이 바르게 짝지어진 것을 고르세요.

· We _____ tennis players.
· Those _____ his hats.

① is - is   ② is - are

③ are - is   ④ are - are

[06~11] 다음 보기에서 알맞은 것을 골라 문장을 완성하세요.

<보기> am   are   is

06 The turtle _____ slow.

그 거북이는 느리다.

07 _____ we late?

우리가 늦었나요?

08 Lily and I _____ friends.

릴리와 나는 친구이다.

09 _____ it a giraffe?

그것은 기린이니?

10 Those _____ her children.

저 아이들은 그녀의 아이들이다.

11 _____ that your pencil case?

저것은 네 필통이니?

[12~13] 다음 그림을 보고, (   ) 안에서 알맞은 것을 고르세요.

12

Q Is (this / that) an elephant?
A Yes, (it / this) is.

13

Q (Is he / Are they) in the classroom?
A No, (he isn't / they aren't).

[14~15] 다음 문장을 괄호 안의 지시대로 바꿀 때, 빈칸에 알맞은 말을 쓰세요.

14 John is a model.
→ (부정문) _____ _____ a model.
→ (의문문) _____ _____ a model?

15 These are candies.
→ (부정문) _____ _____ candies.
→ (의문문) _____ _____ candies?

[16~18] 우리말에 맞게 보기에서 알맞은 것을 골라 문장을 완성하세요.

| <보기> they   this   those |
| your   her   my |

16 이것은 내 우산이다.
→ _____ is _____ umbrella.

17 저것들은 그녀의 바지니?
→ Are _____ _____ pants?

18 그들은 네 반 친구들이니?
→ Are _____ _____ classmates?

[19~20] 우리말에 맞게 주어진 말을 바르게 배열하세요.

19 그녀는 바쁘지 않다.
is | busy | She | not | .
→ _____

20 저것은 네 방이니?
your | ? | Is | room | that
→ _____

A 다음 ( ) 안에서 알맞은 것을 고르세요.

❶ Those are (wolfs / (wolves)).   ❷ I have (a / an) onion.

❸ This is (his / he) car.   ❹ Are (this / these) carrots?

❺ My uncles (is / are) tall.   ❻ (Chris / They) is a painter.

B 우리말에 맞게 보기에서 알맞은 것을 골라 문장을 완성하세요.

보기	the	it	that	these	is	her

❶ _____That_____ is my coat.   저것은 내 코트이다.

❷ _____ Erica a singer?   에리카는 가수니?

❸ _____ sky is blue.   하늘이 파랗다.

❹ They are _____ friends.   그들은 그녀의 친구들이다.

❺ Is _____ a snake?   그것은 뱀이니?

❻ _____ are your gloves.   이것들은 네 장갑이다.

C 다음 밑줄 친 부분을 바르게 고쳐 쓰세요.

❶ I live in a <u>Seoul</u>.   → _____Seoul_____

❷ The three <u>woman</u> are tall.   → _____

❸ She has two <u>dishs</u>.   → _____

CHAPTER 3

일반동사

학습 목표

UNIT 1

She **has** a book.

| Step 1 | 주어가 3인칭 단수일 때 동사는 어떻게 바뀔까요? |

일반동사는 주어의 동작이나 상태를 나타내는 동사예요.
문장의 뜻이 현재를 나타낼 때 일반동사는 주어에 따라 형태가 달라요.
주어가 3인칭 단수일 때는 동사의 뒤에 -s 또는 -es를 붙여요.

+ 일반동사의 현재형 +

주어가 I / You / We / They 또는 복수 명사일 때	주어가 He / She / It 또는 단수 명사일 때 = 3인칭 단수 주어
동사 모양 그대로 (동사원형)	대부분 동사 뒤에 + -s
They **read** a book. 그들은 책을 읽는다.	Andy **read**s a book. 앤디는 책을 읽는다.

✔체크 3인칭이란 나(I)와 너(you)를 제외한, 또 다른 사람을 말해요.
단수는 사람 한 명, 동물 한 마리 또는 사물 한 개를 의미해요.

+ 일반동사의 3인칭 단수형 +

대부분의 동사	+ -s	like → likes 좋아하다 eat → eats 먹다 play → plays (게임, 놀이를) 하다, 연주하다
-s, -sh, -ch, -x, -o 로 끝나는 동사	+ -es	pass → passes 패스하다 wash → washes 씻다 watch → watches 보다 fix → fixes 고치다 go → goes 가다 do → does 하다
'자음+y'로 끝나는 동사	y를 i로 고치고 + -es	cry → cries 울다 fly → flies 날다 study → studies 공부하다
have	has	have → has 가지다, 먹다

A 다음 주어진 주어에 알맞은 동사를 고르세요.

❶ She   ☐ go   ☑ goes

❷ Mr. Jones   ☐ fix   ☐ fixes

❸ The monkeys   ☐ eat   ☐ eats

❹ Peter   ☐ have   ☐ has

❺ Babies   ☐ cry   ☐ cries

❻ My brother   ☐ drink   ☐ drinks

❼ The sun   ☐ rise   ☐ rises

❽ The children   ☐ play   ☐ plays

B 다음 (　) 안에서 알맞은 것을 고르세요.

❶ He (clean / (cleans)) his room.

❷ Nancy and I (go / goes) to school.

❸ The house (have / has) a garden.

❹ My uncle (drive / drives) a bus.

❺ The boy (do / does) his homework.

❻ They (listen / listens) to music.

❼ A bird (flys / flies) in the sky.

❽ Dad (watch / watches) the news.

❾ She (speak / speaks) English.

C 다음 밑줄 친 부분을 바르게 고쳐 쓰세요.

❶ My mom like the movie. → likes

❷ Ms. Brown teachs art. →

❸ Jenny brush her hair. →

❹ The train go to Busan. →

❺ The cat have a long tail. →

D 다음 그림을 보고, 보기에서 알맞은 단어를 골라 바꿔 쓰세요.

보기   go   wash   drink   drive   do   play

❶

He ___goes___ to school.

❷

Jessie and Kevin _____ their homework.

❸

My brother _____ the dishes.

❹

I _____ milk.

❺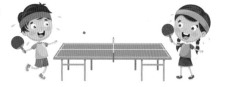

They _____ table tennis.

❻

Collin _____ to work.

A 알맞은 것에 체크하고, 문장을 완성하세요.

❶ [My mom] [makes] [cookies] . ☑ makes ☐ make

❷ [Laura] [ ] [the singer] . ☐ like ☐ likes

❸ [Dean] [ ] [art] . ☐ studys ☐ studies

❹ [The girls] [ ] [well] . ☐ dance ☐ dances

❺ [He] [ ] [the computer] . ☐ fix ☐ fixes

B 우리말에 맞게 보기에서 알맞은 단어를 골라 바꿔 쓴 다음, 전체 문장을 다시 쓰세요.

| 보기 | brush | play | have |

❶ 내 남동생은 축구를 한다.

[plays] [brother] [soccer] [My] .

→ My brother plays soccer.

❷ 그녀는 두 명의 이모가 있다.

[aunts] [She] [ ] [two] .

→ _____

❸ Nick(닉)은 양치를 한다.

[ ] [teeth] [his] [Nick] .

→ _____

UNIT 2

일반동사의 부정문

I **don't have** a pen.

Step 1 '~하지 않다'는 어떻게 나타내는지 알아볼까요?

일반동사의 부정은 '~하지 않다'라는 뜻으로 일반동사의 '앞'에 do not 또는 does not을 넣으면 돼요.
이때 do not이나 does not 뒤에는 반드시 동사의 원래 모양을 써야 해요.

+ 일반동사의 부정문 +

주어가 I / You / We / They 또는 복수 명사일 때	주어가 He / She / It 또는 단수 명사일 때 = 3인칭 단수 주어
do not + 동사원형 = **don't** + 동사원형	**does not** + 동사원형 = **doesn't** + 동사원형

I **draw** a picture.
→ I **do not draw** a picture.
나는 그림을 그리지 않는다.

She **goes** to school.
→ She **does not go** to school.
그녀는 학교에 가지 않는다.

The boys **play** soccer.
→ The boys **do not play** soccer.
그 남자아이들은 축구를 하지 않는다.

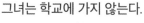

The girl **eats** breakfast.
→ The girl **does not eat** breakfast.
그 여자아이는 아침을 먹지 않는다.

You **have** milk.
→ You **don't have** milk.
너희들은 우유를 마시지 않는다.

My grandma **has** a car.
→ My grandma **doesn't have** a car.
할머니는 자동차를 가지고 계시지 않는다.

✔ 체크 does not[doesn't]을 쓰면 3인칭 단수 주어의 동사 뒤에 붙어 있던 -(e)s는 사라지고 동사의 원래 모양이 돼요.

✔ 체크 주어가 3인칭 단수일 때 has이지만, does not[doesn't]을 쓰면 동사의 원래 모양인 have를 쓰는 것에 주의하세요.

A 다음 ( ) 안에서 알맞은 것을 고르세요.

❶ I (don't / doesn't) go to school. 나는 학교에 가지 않는다.

❷ He (don't / doesn't) know my name. 그는 내 이름을 모른다.

❸ My mom (don't / doesn't) watch TV. 엄마는 TV를 보시지 않는다.

❹ Chickens (don't / doesn't) fly. 닭들은 날지 않는다.

❺ Andy (don't / doesn't) have a bike. 앤디는 자전거가 없다.

❻ The children (don't / doesn't) like the book. 그 아이들은 그 책을 좋아하지 않는다.

B 다음 주어진 문장을 부정문으로 바꿀 때, 빈칸에 알맞은 말을 쓰세요.

❶ She plays basketball.

➜ She ___doesn't___ ___play___ basketball.

❷ We drink milk.

➜ We _____ _____ milk.

❸ Luke cleans his room.

➜ Luke _____ _____ his room.

❹ I like comic books.

➜ I _____ _____ comic books.

❺ Minho studies English.

➜ Minho _____ _____ English.

❻ My dad uses a computer.

➜ My dad _____ _____ a computer.

C 다음 밑줄 친 부분을 바르게 고쳐 쓰세요.

① My brother don't read books. → doesn't[does not]

② I doesn't have a pet. → _____

③ She doesn't wears skirts. → _____

④ Kate and Amy doesn't like sports. → _____

⑤ Mark and I doesn't ride a bike. → _____

D 다음 그림을 보고, 주어진 단어를 이용하여 빈칸에 알맞은 말을 쓰세요.

1   2    3

4    5    6

① Mia ___doesn't___ ___have___ a cat. She ___has___ a dog. (have)

② Ms. Wilson _____ _____ English.
She _____ math. (teach)

③ We _____ _____ the piano.
We _____ the violin. (play)

④ The man _____ _____ a truck.
He _____ a taxi. (drive)

⑤ I _____ _____ a cap. I _____ glasses. (wear)

⑥ Monica _____ _____ meat. She _____ fish. (eat)

A 알맞은 것에 체크하고, 문장을 완성하세요.

❶ He │ doesn't have │ breakfast .

❷ We │ │ soccer .

❸ The girl │ │ milk .

❹ Jake │ doesn't │ │ his homework .

❺ My sisters │ │ action movies .

☐ don't have
☑ doesn't have
☐ don't play
☐ doesn't play
☐ don't drink
☐ doesn't drink
☐ do
☐ does
☐ don't watch
☐ doesn't watch

B 우리말에 맞게 보기에서 알맞은 단어를 골라 쓴 다음, 전체 문장을 다시 쓰세요.

보기   don't   doesn't   work   need   eat

❶ 나의 언니는 생선을 먹지 않는다.

│ doesn't eat │ sister │ My │ fish .

→ My sister doesn't eat fish.

❷ 너는 우산이 필요하지 않다.

│ an umbrella │ You │ │ .

→ _____

❸ Wendy(웬디)는 도서관에서 일하지 않는다.

│ │ at a library │ Wendy .

→ _____

UNIT 3  **Does** he **have** a book?

Step 1 일반동사의 의문문은 어떻게 만들까요?

일반동사가 있는 문장의 의문문은 주어 '앞'에 Do 또는 Does를 써요.
이때 「주어+동사」의 순서는 바뀌지 않지만, 부정문과 마찬가지로 동사는 반드시 원래 모양을 써야 해요.

✛ 일반동사의 의문문 ✛

주어가 I / you / we / they 또는 복수 명사일 때	주어가 he / she / it 또는 단수 명사일 때 = 3인칭 단수 주어
Do + 주어 + 동사원형 ~?	**Does** + 주어 + 동사원형 ~?
 You **ride** a bike. → **Do** you **ride** a bike? 너는 자전거를 타니?	 He **goes** to school. → **Does** he **go** to school? 그는 학교에 가니?
 Amy and Jen **have** dogs. → **Do** Amy and Jen **have** dogs? 에이미와 젠은 개가 있니?	 Mr. Watson **has** a car. → **Does** Mr. Watson **have** a car? 왓슨 씨는 자동차를 가지고 있니?

✛ 일반동사 의문문에 대한 대답: Yes/No ✛

질문	Yes로 대답 (긍정) 응, 그래.	No로 대답 (부정) 아니, 그렇지 않아.
Do you ~?	Yes, I **do**.	No, I **don't**.
Do we/you/they ~?	Yes, you/we/they **do**.	No, you/we/they **don't**.
Does he/she/it ~?	Yes, he/she/it **does**.	No, he/she/it **doesn't**.

✔체크 주어가 명사인 질문에 대답할 때는 주어를 알맞은 대명사로 바꿔 대답해야 해요.

A 다음 ( ) 안에서 알맞은 것을 고르세요.

❶ **Q** (Do / (Does)) she study English?

  A Yes, she ((does) / doesn't).

❷ **Q** (Do / Does) you like hamburgers?

  A No, I (do / don't).

❸ **Q** (Do / Does) your brother have a car?

  A No, he (does / doesn't).

❹ **Q** (Do / Does) we have time?

  A Yes, you (do / don't).

❺ **Q** (Do / Does) Jack need a notebook?

  A Yes, he (does / doesn't).

B 다음 주어진 문장을 의문문으로 바꿀 때, 빈칸에 알맞은 말을 쓰세요.

❶ She walks to school.

➜ _____Does_____ she _____walk_____ to school?

❷ The bus goes to the airport.

➜ _____ the bus _____ to the airport?

❸ Your parents like animals.

➜ _____ your parents _____ animals?

❹ Nate sings well.

➜ _____ Nate _____ well?

❺ They speak English.

➜ _____ they _____ English?

C 다음 밑줄 친 부분을 바르게 고쳐 쓰세요.

❶ Does he <u>lives</u> in Seoul?　　　　　→ ___live___

❷ <u>Is</u> your dad like baseball?　　　　→ _____

❸ Does the girl <u>has</u> long hair?　　　→ _____

❹ <u>Do</u> the baby like dolls?　　　　　→ _____

❺ <u>Does</u> you get up early?　　　　　→ _____

❻ Does Joe <u>needs</u> scissors?　　　　→ _____

D 다음 그림을 보고, 주어진 단어를 이용하여 빈칸에 알맞은 말을 쓰세요.

1

2

3

4

❶ **Q** ___Does___ she ___ride___ a horse? (ride)

　A Yes, ___she___ ___does___ .

❷ **Q** _____ they _____ TV? (watch)

　A No, _____ _____ .

❸ **Q** _____ she _____ a car? (drive)

　A Yes, _____ _____ .

❹ **Q** _____ they _____ at a restaurant? (work)

　A No, _____ _____ .

A 알맞은 것에 체크하고, 문장을 완성하세요.

❶ Q [Does] [Brian] [drink coffee] ?   ☐ Do   ☑ Does

   A [No] , [he] [doesn't] .

❷ Q [   ] [the dog] [bark] ?   ☐ Do   ☐ Does

   A [Yes] , [   ] [   ] .

❸ Q [   ] [your sisters] [like the book] ?   ☐ Do   ☐ Does

   A [Yes] , [   ] [   ] .

B 우리말에 맞게 보기에서 알맞은 단어를 골라 쓴 다음, 전체 문장을 다시 쓰세요.

| 보기 | do | does | play | sell | like |

❶ 그들은 그 노래를 좋아하니?

[the song] [Do] [?] [they] [like]

→ <u>Do they like the song?</u>

❷ 네 오빠는 게임을 하니?

[your brother] [games] [   ] [?]

→ <u>   </u>

❸ 그 가게는 빵을 파니?

[?] [the store] [   ] [bread]

→ <u>   </u>

CHAPTER EXERCISE

정답과 해설 p. 12

[01~02] 다음 중 동사원형과 3인칭 단수형이 잘못 짝지어진 것을 고르세요.

01
① swim – swims
② try – tryes
③ fix – fixes
④ have – has

02
① pass – passes
② come – comes
③ wash – washs
④ fly – flies

[03~04] 다음 빈칸에 들어갈 말로 알맞은 것을 고르세요.

03
_____ have dinner at 7.

① We   ② He
③ My brother   ④ She

04
_____ doesn't play tennis.

① Jay and I   ② They
③ You   ④ Mr. Jones

05 다음 중 밑줄 친 부분이 잘못된 것을 고르세요.

① The baby crys.
② Cindy loves dogs.
③ The store closes at 6 p.m.
④ My sister passes the ball.

[06~10] 다음 ( ) 안에서 알맞은 것을 고르세요.

06 The girl (sing / sings) a song.

07 My aunt (don't / doesn't) live in an apartment.

08 Q (Do / Does) your uncle play the piano?
A Yes, he (do / does).

09 Q (Do / Does) your friends like math?
A No, they (don't / doesn't).

10 Q (Do / Does) he work here?
A No, he (don't / doesn't).

[11~15] 다음 문장을 괄호 안의 지시대로 바꿔 쓰세요.

11 Amy likes vegetables.

➡ (의문문) _____

_____

12 My brother cleans his room.

➡ (부정문) _____

_____

13 The skirt looks great.

➡ (의문문) _____

_____

14 We have a science class.

➡ (부정문) _____

_____

15 Julie and Jenny swim in the sea.

➡ (의문문) _____

_____

[16~17] 다음 그림을 보고, 주어진 단어를 이용하여 빈칸에 알맞은 말을 쓰세요.

16

Mike _____ _____

TV. (watch)

17

Q _____ you _____

to school? (walk)

A Yes, we _____.

[18~20] 다음 밑줄 친 부분을 바르게 고쳐 쓰세요.

18 Steven <u>don't likes</u> bananas.

➡ _____

19 <u>Does</u> your parents speak English?

➡ _____

20 My sister <u>do not read</u> comic books.

➡ _____

REVIEW

A 다음 ( ) 안에서 알맞은 것을 고르세요.

❶ (This / ⟨These⟩) are my hats.

❷ The books (is / are) fun.

❸ Is this (you / your) computer?

❹ (Is / Are) the boy happy?

❺ He (watch / watches) the news.

❻ (Do / Does) they have bikes?

B 우리말에 맞게 보기에서 알맞은 것을 골라 문장을 완성하세요.

보기	aren't	do	his	does	these	my

❶ That is ____my____ grandma.　　　저분은 나의 할머니셔.

❷ Amy _____ not like chocolate.　　에이미는 초콜릿을 좋아하지 않는다.

❸ Are _____ your shoes?　　　이것들은 네 신발이니?

❹ Those _____ her pens.　　　저것들은 그녀의 펜들이 아니다.

❺ _____ they play the piano?　　그들은 피아노를 연주하니?

❻ This is _____ album.　　　이것은 그의 앨범이야.

C 다음 밑줄 친 부분을 바르게 고쳐 쓰세요.

❶ Does Ms. Jones <u>drives</u>?　　　→ ____drive____

❷ These <u>is</u> her books.　　　→ _____

❸ Brian and Liam <u>goes</u> to school.　　→ _____

CHAPTER 4

의문사 의문문

학습 목표

UNIT 1

What is this?

의문사가 들어간 be동사 의문문은 어떻게 만들까요?

Who(누구), What(무엇), Where(어디에)와 같이 의문문 앞에 쓰는 말이 의문사예요.
be동사가 쓰인 의문사 의문문을 만들 때는 의문사를 문장 맨 앞에 두어 「의문사+be동사+주어?」 순서로 써요.

+ 「의문사 + be동사」 의문문 +

Who + am/are/is + 주어? ~는 누구니?	사람	**Q** Who is she? 그녀는 누구니? **A** She is **my sister.** 그녀는 내 여동생이야.
What + am/are/is + 주어? ~는 무엇이니?	사물, 동물	**Q** What are these? 이것들은 무엇이니? **A** They are **lamps.** 그것들은 램프야.
Where + am/are/is + 주어? ~는 어디에 있니?	장소	**Q** Where is the cat? 그 고양이는 어디에 있니? **A** It's **on the box.** 그것은 상자 위에 있어.

✔체크 의문사로 시작하는 의문문은 Yes나 No로 대답하지 않고 구체적으로 대답해요.

+ 「의문사 + be동사」 의문문에서 be동사의 모양 +

주어가 you / we / they 또는 복수 명사일 때	주어가 he / she / it 또는 단수 명사일 때 = 3인칭 단수 주어
의문사 + **are** + 주어?	의문사 + **is** + 주어?
Where **are my crayon**s? 내 크레용들은 어디에 있니?	Where **is my crayon?** 내 크레용은 어디에 있니?

be동사는 뒤에
오는 주어에 따라
달라져요.

A 다음 중 의문사로 시작하는 의문문을 고르세요.

❶ What is this? ☑

❷ Are you hungry? ☐

❸ Who is the man? ☐

❹ Does Anna sing well? ☐

❺ Do you speak English? ☐

❻ Where are my socks? ☐

B 다음 ( ) 안에서 알맞은 것을 고르세요.

❶  **Q** ((Who) / What) is he?

A He is my teacher.

❷  **Q** (Where / Who) are my glasses?

A They are on the table.

❸  **Q** (Who / What) is that?

A It's my backpack.

❹  **Q** (What / Where) is the soccer ball?

A It's in the box.

❺  **Q** (Who / What) are these?

A They are comic books.

C 다음 질문을 읽고, 알맞은 응답에 연결하세요.

❶ **What** is this? •

❷ **Where** are the tapes? •

❸ **Who** is she? •

❹ **Where** is my pen? •

❺ **What** are they? •

❻ **Who** are they? •

• **A** They're in the box.

• **B** They are my friends.

• **C** It is a hamster.

• **D** It is on the chair.

• **E** They are our violins.

• **F** She's my aunt.

D 우리말에 맞게 알맞은 '의문사+be동사'를 넣어 문장을 완성하세요.

❶ <u>어디에</u> / <u>~있니</u> / 내 가방들은?

Where | are | my bags | ?

❷ <u>누구</u> / <u>~이니</u> / 그 여자아이들은?

| | the girls | ?

❸ <u>무엇</u> / <u>~이니</u> / 그의 이름은?

| | his name | ?

❹ <u>어디에</u> / <u>~있니</u> / 그 은행은?

| | the bank | ?

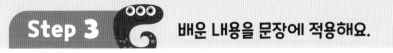
A 알맞은 것에 체크하고, 문장을 완성하세요.

❶ Q ___What is___ | this | ?   ☑ What is   ☐ Who is

A It is a watermelon.

❷ Q _____ | my books | ?   ☐ Where is   ☐ Where are

A They are on the bed.

❸ Q _____ | the kids | ?   ☐ What are   ☐ Who are

A They are my cousins.

❹ Q _____ | the ruler | ?   ☐ Where is   ☐ What is

A It is in the pencil case.

B 우리말에 맞게 알맞은 '의문사+be동사'를 넣고, 전체 문장을 다시 쓰세요.

❶ 저것들은 무엇이니?

| those | ? | What are |

→ ___What are those?___

❷ 네 가장 친한 친구는 누구니?

| best friend | your | ? | |

→ _____

❸ 그의 공책은 어디에 있니?

| notebook | his | | ? |

→ _____

UNIT 2

What + do/does 의문문

What do you want?

Step 1 의문사가 들어간 일반동사 의문문은 어떻게 만들까요?

일반동사의 의문문은 「Do/Does+주어+동사원형 ~?」으로 썼어요. 여기에 의문사 What을 맨 앞에 더하면 '~는 무엇을 …하니?'라는 구체적인 정보를 물어볼 때 쓸 수 있어요.

+ 「What + do/does」 의문문 +

주어가 I / you / we / they 또는 복수 명사일 때	주어가 he / she / it 또는 단수 명사일 때 = 3인칭 단수 주어
What + do + 주어 + 동사원형 ~? ~는 무엇을 …하니?	What + does + 주어 + 동사원형 ~? ~는 무엇을 …하니?

Do you want ice cream?
너는 아이스크림을 원하니?

→ **Q** What do you **want?**
너는 무엇을 원하니?

A I want **ice cream.**
나는 아이스크림을 원해.

Does she have a skateboard?
그녀는 스케이트보드를 가지고 있니?

→ **Q** What does she **have?**
그녀는 무엇을 가지고 있니?

A She has **a skateboard.**
그녀는 스케이트보드를 가지고 있어.

Do they like carrots?
그것들은 당근을 좋아하니?

→ **Q** What do they **like?**
그것들은 무엇을 좋아하니?

A They like **carrots.**
그것들은 당근을 좋아해.

Does it eat bananas?
그것은 바나나를 먹니?

→ **Q** What does it **eat?**
그것은 무엇을 먹니?

A It eats **bananas.**
그것은 바나나를 먹어.

✔체크 일반동사의 의문문과 마찬가지로 주어에 따라 do와 does를 알맞게 써야 해요.

A 다음 ( ) 안에서 알맞은 것을 고르세요.

❶ What ((do) / does) **you** like?   너는 무엇을 좋아하니?

❷ What (is / does) **he** want?   그는 무엇을 원하니?

❸ What (do / does) **she** watch?   그녀는 무엇을 보니?

❹ What (do / does) **you** make?   너는 무엇을 만드니?

❺ What (do / does) **it** eat?   그것은 무엇을 먹니?

❻ What (do / are) **they** do?   그들은 무슨 일을 하니?

❼ What (do / does) **he** bake?   그는 무엇을 굽니?

❽ What (do / are) **you** have for lunch?   너는 점심으로 무엇을 먹니?

B 주어진 문장을 what 의문문으로 바꿀 때, 빈칸에 알맞은 말을 쓰세요.

❶ Do they need dishes?

→ **Q** _What_ _do_ they _need_ ?   **A** They need dishes.

❷ Does he like pizza?

→ **Q** _____ _____ he _____ ?   **A** He likes pizza.

❸ Does she drink coffee?

→ **Q** _____ _____ she _____ ?   **A** She drinks coffee.

❹ Do goats eat grass?

→ **Q** _____ _____ goats _____ ?   **A** They eat grass.

❺ Do you make cookies?

→ **Q** _____ _____ you _____ ?   **A** I make cookies.

C 다음 (   ) 안에서 알맞은 것을 고르세요.

❶
Q What ((do) / does) they ((watch) / watches)?
A They watch TV.

❷
Q What (do / does) Adam (open / opens)?
A He opens the door.

❸
Q What (do / does) you (eats / eat) for lunch?
A I eat a hamburger.

❹
Q What (do / does) your mother (do / does)?
A She's a police officer.

D 우리말에 맞게 주어진 말을 바르게 배열하세요.

❶ Noah(노아)는 무엇을 공부하니? (does / what / Noah / study / ?)

→ ___What does Noah study?_____

❷ 그 고양이는 무엇을 먹니? (the cat / what / eat / does / ?)

→ _____

❸ 그들은 무엇을 좋아하니? (they / like / do / what / ?)

→ _____

❹ 그녀는 무엇을 가르치니? (what / teach / does / she / ?)

→ _____

❺ 너는 무엇이 필요하니? (need / you / what / do / ?)

→ _____

A 알맞은 것에 체크하고, 문장을 완성하세요.

❶ Q [What do] [they] [eat] ? ☑ What do ☐ What does

A They eat pizza.

❷ Q [   ] [he] [read] ? ☐ What do ☐ What does

A He reads novels.

❸ Q [   ] [the girl] [have] ? ☐ What do ☐ What does

A She has a kite.

❹ Q [   ] [you] [play] ? ☐ What do ☐ What does

A We play soccer.

B 우리말에 맞게 알맞은 'What+do/does'를 넣고, 전체 문장을 다시 쓰세요.

❶ 네 삼촌은 무엇을 가르치시니?

[your] [?] [What does] [teach] [uncle]

→ What does your uncle teach?

❷ 강아지들은 무엇을 좋아하니?

[?] [puppies] [   ] [like]

→ _____

❸ 그녀는 무엇이 필요하니?

[need] [she] [?] [   ]

→ _____

UNIT 3

What color is it?

Step 1   What이나 How로 시작하는 의문문에는 어떤 게 있을까요?

의문사 What은 뒤에 명사를 써서 '무슨 ~, 몇 ~'과 같은 의미로 구체적인 내용을 물을 때도 쓰여요.
무슨 색인지, 몇 시인지, 무슨 요일인지 물어볼 때 쓸 수 있어요.
의문사 How는 안부를 물어보거나, 뒤에 old를 써서 몇 살인지 물어볼 때 쓸 수 있지요.

+ What으로 시작하는 의문문 +

What color + be동사 + 주어? ~은 무슨 색이니?		**Q** What color is it? 그것은 무슨 색이니? **A** It is **yellow**. 그것은 노란색이야. **Q** What color are the cars? 그 차들은 무슨 색이니? **A** They are **blue**. 그것들은 파란색이야.
What time is it? 몇 시니?		**Q** What time is it? 몇 시니? **A** It is **nine o'clock**. 아홉 시 정각이야.
What day is it? 무슨 요일이니?		**Q** What day is it? 무슨 요일이니? **A** It is **Sunday**. 일요일이야.

✔ 체크   시간이나 요일을 묻고 답할 때는 주어 자리에 뜻이 없는 주어 it을 사용해요.
이때 쓰인 it은 대명사 '그것'이 아니므로 헷갈리지 않도록 주의하세요.

+ How로 시작하는 의문문 +

How + be동사 + 주어? ~는 어떻게 지내니?(안부)/ ~는 어떠니?	**Q** How are you? 너는 어떻게 지내니? **A** I am **fine**. 나는 잘 지내. **Q** How is the weather? 날씨가 어떠니? **A** It is **rainy**. 비가 와.
How old + be동사 + 주어? ~는 몇 살이니?	**Q** How old are you? 너는 몇 살이니? **A** I'm **ten years old**. 나는 열 살이야.

A 우리말에 맞게 빈칸에 what이나 how 중 알맞은 것을 쓰세요.

❶ ___What___ time is it?   몇 시니?

❷ _____ color is it?   그것은 무슨 색이니?

❸ _____ are you?   너는 어떻게 지내니?

❹ _____ day is it?   무슨 요일이니?

❺ _____ old is your sister?   네 여동생은 몇 살이니?

❻ _____ color are your shoes?   네 신발은 무슨 색이니?

❼ _____ is the weather today?   오늘 날씨가 어떠니?

B 다음 ( ) 안에서 알맞은 것을 고르세요.

❶

Q (How / ⟨What⟩) time is it?
A It is seven thirty.

❷

Q (How / What) is the weather?
A It's snowy.

❸

Q (What time / What day) is it?
A It's Monday.

❹
Q (How old / How) is your brother?
A He is eight years old.

❺

Q (What color / What day)
   is the cup?
A It's green.

❻
Q (How / How old) is the weather?
A It is sunny.

C 다음 질문을 읽고, 알맞은 응답에 연결하세요.

❶ **How old** are you? •

❷ **What time** is it? •

❸ **What day** is it? •

❹ **How old** is Sally? •

❺ **What color** is it? •

❻ **How** are you? •

• A It is six o'clock.

• B She is five years old.

• C I'm ten years old.

• D It's Friday.

• E I'm good.

• F It's red.

D 우리말에 맞게 빈칸에 알맞은 말을 쓰세요.

❶ 그 고양이는 무슨 색이니?

→ ___What___ ___color___ is the cat?

❷ 지금 몇 시니?

→ _____ _____ is it now?

❸ Jessie(제시)는 몇 살이니?

→ _____ _____ is Jessie?

❹ 오늘은 무슨 요일이니?

→ _____ _____ is it today?

❺ 네 남동생은 어떻게 지내니?

→ _____ _____ your brother?

A 알맞은 것에 체크하고, 문장을 완성하세요.

❶ **Q** [What color] [is] [it] ? ☑ What color ☐ What day

   A It's green.

❷ **Q** [   ] [is] [it] ? ☐ What time ☐ What day

   A It's Saturday.

❸ **Q** [   ] [is] [it] ? ☐ What time ☐ What color

   A It is two o'clock.

❹ **Q** [   ] [are] [you] ? ☐ What ☐ How

   A I'm great.

B 우리말에 맞게 빈칸에 알맞은 단어를 넣고, 전체 문장을 다시 쓰세요.

❶ 네 여동생은 몇 살이니?

   [your] [is] [?] [How old] [sister]

   → <u>How old is your sister?</u>

❷ 날씨가 어떠니?

   [is] [   ] [?] [the weather]

   → _____

❸ 그녀의 머리카락은 무슨 색이니?

   [hair] [her] [is] [   ] [?]

   → _____

[01~04] 다음 (　) 안에서 알맞은 것을 고르세요.

01

Q (What / Who) is she?

A She is my aunt.

02

Q (Who / What) are those?

A They are butterflies.

03

Q (What / Who) does Anna like?

A She likes swimming.

04

Q (What / Where) are my toys?

A They are in the box.

[05~07] 우리말에 맞게 빈칸에 알맞은 말을 쓰세요.

05 그의 이름은 무엇이니?

→ _____ is his name?

06 네 야구모자는 어디에 있니?

→ _____ is your cap?

07 저 사람들은 누구니?

→ _____ are those?

[08~12] 다음 (　) 안에서 알맞은 것을 고르세요.

08 What (do / does) you have?

09 How (is / are) your grandma?

10 What (do / does) he draw?

11 What (do / does) your dad do?

12 (How / What) color are the gloves?

13 다음 문장의 빈칸에 공통으로 알맞은 말을 고르세요.

> • _____ old is he?
> • _____ is the weather?

① Who   ② What
③ How   ④ Where

[14~15] 다음 대화의 빈칸에 들어갈 말로 알맞은 것을 고르세요.

14

> **Q** _____
> **A** It is snowy.

① What day is it?
② How are you?
③ What color is her hair?
④ How is the weather?

15

> **Q** _____
> **A** They are on the chair.

① What are these?
② Where are they?
③ Who are they?
④ How are they?

[16~17] 우리말에 맞게 빈칸에 알맞은 말을 쓰세요.

16 그 여자아이는 누구니?

→ _____ _____ the girl?

17 Jack(잭)은 방과 후에 무엇을 하니?

→ _____ _____ Jack do after school?

18 다음 질문에 대한 대답으로 알맞은 것을 고르세요.

> What day is it today?

① It's purple.
② It is windy.
③ It's Tuesday.
④ It is four o'clock.

[19~20] 다음 주어진 단어들을 바르게 배열하세요.

19 (the / is / how / weather / ?)

→ _____
_____

20 (his / what / coat / is / color / ?)

→ _____
_____

A 다음 ( ) 안에서 알맞은 것을 고르세요.

❶ Joey (don't / (doesn't)) like winter.

❷ What (are / do) those?

❸ Do the children (like / likes) carrots?

❹ (Where is / Is where) the computer?

❺ Ricky (watchs / watches) baseball.

B 우리말에 맞게 보기에서 알맞은 것을 골라 문장을 완성하세요.

보기	what	is	are	do	does

❶ _____What_____ day is it?　　　　　무슨 요일이니?

❷ What _____ we need?　　　　우리는 무엇이 필요하지?

❸ Where _____ your pencils?　　네 연필들은 어디에 있니?

❹ He _____ not drive a car.　　그는 차를 운전하지 않는다.

❺ _____ she have an umbrella?　그녀는 우산이 있니?

C 다음 밑줄 친 부분을 바르게 고쳐 쓰세요.

❶ Who <u>are</u> your brother?　　➔ _____is_____

❷ <u>Is</u> Cindy like comic books?　➔ _____

❸ **Q** Does he have a dog?　　　➔ _____
　　A No, he <u>don't</u>.

CHAPTER 5

조동사 can

학습 목표

조동사 can의 긍정문과 부정문

I can swim.

Step 1 조동사란 무엇일까요?

조동사의 '조'는 '돕다'라는 뜻으로, '동사를 돕는' 역할을 해요. be동사나 일반동사 바로 앞에 쓰여 더 다양한 의미를 더해 주지요. can은 '~할 수 있다'라는 능력의 의미를 더해 주는 조동사예요.

✦ 조동사 can의 긍정문과 부정문 ✦

can의 긍정문		can의 부정문	
주어 + can + 동사원형 ~할 수 있다		주어 + cannot/can't + 동사원형 ~할 수 없다	
I We You They He She It My sister The kids Tom and Amy	can swim.	I We You They He She It My sister The kids Tom and Amy	cannot swim. can't swim. cannot은 can't로 줄여 쓸 수 있어요.
 My sister **fixes** the robot. 나의 언니는 로봇을 고친다. → My sister **can fix** the robot. 나의 언니는 로봇을 고칠 수 있다.		 He **plays** the violin. 그는 바이올린을 연주한다. → He **can't play** the violin. 그는 바이올린을 연주할 수 없다.	

☑체크 조동사는 앞에 어떤 주어가 와도 모양이 바뀌지 않아요. She **cans** (X)

☑체크 주어와 상관없이 can이나 can't 뒤에는 항상 동사의 원래 모양이 와요.
She **can plays** (X) My sister **can't fixes** (X)

A 다음 ( ) 안에서 알맞은 것을 고르세요.

❶ I (can / cans) play tennis.　　　나는 테니스를 칠 수 있다.

❷ She (can / cans) drive a car.　　　그녀는 차를 운전할 수 있다.

❸ Ellen cannot (ride / rides) a bicycle.　　　엘렌은 자전거를 탈 수 없다.

❹ The man can (cook / cooks) pasta.　　　그 남자는 파스타를 요리할 수 있다.

❺ They (can't / not can) speak English.　　　그들은 영어를 할 수 없다.

❻ My cat (climb can / can climb) trees.　　　내 고양이는 나무에 오를 수 있다.

B 다음 그림을 보고, 알맞은 것을 고르세요.

❶ He 　can / can't　 solve the problem.

❷ The girl 　can / can't　 sing a song.

❸ Turtles 　can / can't　 fly.

❹  Elly and Ted 　can / can't　 make pizza.

❺  Robin 　can / can't　 make a robot.

C 다음 그림을 보고, 빈칸에 can이나 can't 중 알맞은 것을 쓰세요.

❶

Joey ___can___ blow up a balloon.

❷

The boy _____ run fast.

❸

He _____ drive a car.

❹

Clara _____ play chess.

D 우리말에 맞게 보기의 단어를 이용하여 문장을 완성하세요.

보기	speak	fix	play	fly	ride

❶ 아빠는 자전거를 고치실 수 있다.

→ My father ___can___ ___fix___ the bike.

❷ Jake(제이크)는 피아노를 칠 수 있다.

→ Jake _____ _____ the piano.

❸ 펭귄들은 날 수 없다.

→ Penguins _____ _____ .

❹ 나는 중국어를 할 수 있다.

→ I _____ _____ Chinese.

❺ 그녀는 말을 탈 수 없다.

→ She _____ _____ a horse.

A 다음 그림을 보고 알맞은 것에 체크하고, 문장을 완성하세요.

❶ My dog | can | swim . ☐ cannot ☑ can

❷ I | | solve | the problem . ☐ can ☐ can't

❸ The baby | can't | | . ☐ walks ☐ walk

❹ Emily | can | | tennis . ☐ play ☐ plays

B 우리말에 맞게 보기에서 알맞은 단어를 골라 쓴 다음, 전체 문장을 다시 쓰세요.

| 보기 | can | can't | run | do | play |

❶ 그는 태권도를 할 수 있다.

taekwondo | He | can do .

→ He can do taekwondo.

❷ 나는 빨리 달릴 수 없다.

| | I | fast .

→ _____

❸ Tim(팀)은 기타를 칠 수 있다.

Tim | the guitar | .

→ _____

UNIT 2

조동사 can의 의문문

Can you swim?

Step 1 🐏 조동사의 의문문은 어떻게 만들까요?

조동사 can을 이용해서 '~할 수 있니?'라고 묻는 문장을 만들 때는
문장의 주어와 조동사의 순서만 바꾸면 돼요.
You can swim. → Can you swim?

+ 조동사 can의 의문문과 대답 +

질문		Yes로 대답 (긍정)	No로 대답 (부정)
Can + 주어 + 동사원형? ~할 수 있니?		**Yes, 주어 + can.** 응, 할 수 있어.	**No, 주어 + can't.** 아니, 할 수 없어.
Can you(너)	**swim?**	Yes, I **can.**	No, I **can't.**
Can he/she/it		Yes, he/she/it **can.**	No, he/she/it **can't.**
Can you(너희들)		Yes, we **can.**	No, we **can't.**
Can they		Yes, they **can.**	No, they **can't.**

+ 대답할 때 주의할 점 +

의문문의 주어가 단수 명사일 때		**Q** Can **your sister** ride a horse? 네 언니는 말을 탈 수 있니? **A** Yes, **she** can. 응, 할 수 있어.
의문문의 주어가 복수 명사일 때		**Q** Can **penguins** fly? 펭귄들은 날 수 있니? **A** No, **they** can't. 아니, 할 수 없어.

> 대답할 때 주어는
> 알맞은 대명사로
> 바꿔 써야 해요.

A 다음 주어진 문장을 의문문으로 바꿀 때, 빈칸에 알맞은 말을 쓰세요.

❶ You can play tennis. 너는 테니스를 칠 수 있다.

→ ___Can___ ___you___ play tennis? 너는 테니스를 칠 수 있니?

❷ He can climb a tree. 그는 나무에 오를 수 있다.

→ _____ _____ climb a tree? 그는 나무에 오를 수 있니?

❸ They can speak Japanese. 그들은 일본어를 할 수 있다.

→ _____ _____ speak Japanese? 그들은 일본어를 할 수 있니?

❹ James can catch fish. 제임스는 물고기를 잡을 수 있다.

→ _____ _____ catch fish? 제임스는 물고기를 잡을 수 있니?

❺ She can jump rope. 그녀는 줄넘기를 할 수 있다.

→ _____ _____ jump rope? 그녀는 줄넘기를 할 수 있니?

B 다음 그림을 보고, 빈칸에 알맞은 말을 쓰세요.

❶
Q Can they dive?
A Yes, ___they___ ___can___ .

❷
Q Can he lift it?
A No, _____ _____ .

❸
Q Can she do yoga?
A Yes, _____ _____ .

❹
Q Can you play the drums?
A Yes, _____ _____ .

C 다음 질문을 읽고, 알맞은 응답에 연결하세요.

① Can **you** make pizza? •   • A   No, they can't.

② Can **they** skate? •   • B   Yes, he can.

③ Can **she** play the guitar? •   • C   Yes, I can.

④ Can **a chicken** fly? •   • D   No, it can't.

⑤ Can **he** fix a car? •   • E   Yes, she can.

D 다음 주어진 문장을 의문문으로 바꿀 때, 빈칸에 알맞은 말을 쓰세요.

① He can read English books.

→ _____Can he read_____ English books?

② A cheetah can run fast.

→ _____ fast?

③ She can drive a bus.

→ _____ a bus?

④ They can lift the box.

→ _____ the box?

⑤ The frog can jump high.

→ _____ high?

A 다음 그림을 보고, 주어진 동사와 can을 이용하여 대화를 완성하세요.

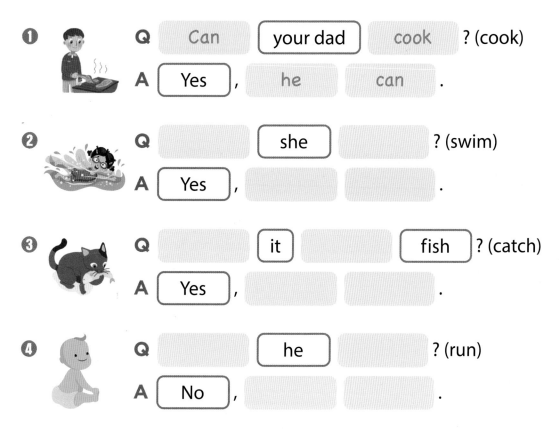

❶ Q [Can] [your dad] [cook] ? (cook)

   A [Yes] , [he] [can] .

❷ Q [ ] [she] [ ] ? (swim)

   A [Yes] , [ ] [ ] .

❸ Q [ ] [it] [ ] [fish] ? (catch)

   A [Yes] , [ ] [ ] .

❹ Q [ ] [he] [ ] ? (run)

   A [No] , [ ] [ ] .

B 우리말에 맞게 주어진 말을 바르게 배열하세요.

❶ 너는 노래를 잘 부를 수 있니?

[?] [you] [sing well] [Can]

→ <u>Can you sing well?</u>

❷ 그들은 스페인어를 할 수 있니?

[they] [?] [Spanish] [Can] [speak]

→ <u>   </u>

[01~04] 다음 그림을 보고, ( ) 안에서 알맞은 것을 고르세요.

01

Julia (can / can't) play golf.

02

She (can / can't) solve the problem.

03

Q Can he (play / plays) soccer?

A Yes, he (can / can't).

04

Q (They can / Can they) fix a fan?

A No, they (can / can't).

[05~08] 우리말에 맞게 ( ) 안에서 알맞은 것을 고르세요.

05 She can (win / wins) the game.

그녀는 그 경기에 이길 수 있다.

06 My uncle (can / cans) make pasta.

나의 삼촌은 파스타를 만들 수 있다.

07 The girl (can / can't) read English books.

그 여자아이는 영어책을 읽을 수 있다.

08 (Do / Can) you ride a bike?

너는 자전거를 탈 수 있니?

[09~10] 다음 중 밑줄 친 부분이 <u>잘못된</u> 것을 고르세요.

09 ① My sister <u>can skate</u>.

② He <u>can speak</u> French.

③ They <u>can make not</u> pizza.

④ Nancy <u>cannot play</u> the piano.

10 ① <u>Can you fly</u> a kite?

② <u>Can they play</u> tennis?

③ <u>Can she run</u> fast?

④ <u>Can he rides</u> a bike?

[11~12] 다음 그림을 보고, can을 이용하여 알맞은 대화를 완성하세요.

11

Q _____ it fly?

A No, _____ _____ .

12

Q _____ they dance?

A Yes, _____ _____ .

[13~14] 다음 문장을 괄호 안의 지시대로 바꿔 쓰세요.

13 She can cook well.

➔ (부정문) _____

_____

14 The cat can jump high.

➔ (의문문) _____

_____

[15~18] 다음 밑줄 친 부분을 바르게 고쳐 쓰세요.

15 I <u>not can</u> lift the box.

➔ _____

16 James <u>can uses</u> chopsticks.

➔ _____

17 <u>Can catch you</u> the ball?

➔ _____

18 **Q** Can he play the drums?

A Yes, <u>you can</u>.

➔ _____

[19~20] 우리말에 맞게 주어진 말을 이용하여 문장을 완성하세요.

19 너는 축구를 할 수 있니?

(you, play, soccer)

➔ _____

20 우리는 스페인어를 할 수 있다.

(we, speak, Spanish)

➔ _____

A 다음 ( ) 안에서 알맞은 것을 고르세요.

❶ He (**can** / cans) play the guitar.

❷ (How / What) old is the boy?

❸ Can ostriches (fly / flies)?

❹ What (do / does) she draw?

❺ (What / How) time is it?

❻ He can't (catch / catches) fish.

B 우리말에 맞게 보기에서 알맞은 것을 골라 문장을 완성하세요.

보기	what	where	it	do	is	can	can't

❶ ___What___ ___is___ her name?   그녀의 이름은 무엇이니?

❷ _____ _____ jump?   그것은 점프할 수 있니?

❸ _____ _____ my book?   내 책은 어디에 있니?

❹ _____ _____ you do?   당신은 무슨 일을 하나요?

❺ He _____ move the table.   그는 그 탁자를 옮길 수 없다.

C 다음 밑줄 친 부분을 바르게 고쳐 쓰세요.

❶ Can he <u>does</u> taekwondo?   →   ___do___

❷ Where <u>are</u> the bathroom?   →   _____

❸ My dad <u>not can</u> make pizza.   →   _____

CHAPTER 6

현재진행형

학습 목표

UNIT 1 I am singing.

Step 1 현재진행형이란 무엇일까요?

현재진행형은 어떤 동작이 말하고 있는 순간에 진행되고 있을 때 사용해요. '(지금) ~하고 있다, ~하는 중이다'
라는 의미예요. 「be동사의 현재형+동사의 -ing형」으로 나타내요.

+ 현재진행형의 긍정문 +

	am/are/is	+ 동사의 -ing형
단수 (하나)	I am = I'm You(너) are = You're He/She/It is = He's/She's/It's	singing.
복수 (여럿)	We are = We're You(너희들) are = You're They are = They're	

> 인칭대명사 주어와 be동사는 줄여 쓸 수 있어요.

+ 동사의 -ing형 만드는 방법 +

대부분의 동사	동사원형 + -ing	read → reading 읽는 중 play → playing 노는 중, 연주하는 중 watch → watching 보는 중 sleep → sleeping 자는 중
-e로 끝나는 동사	e를 없애고 + -ing	dance → dancing 춤추는 중 write → writing (글씨를) 쓰는 중 live → living 살고 있는 중
'모음 1개+자음 1개'로 끝나는 동사	마지막 자음 한 번 더 쓰고 + -ing	sit → sitting 앉아 있는 중 run → running 달리는 중 begin → beginning 시작하는 중 swim → swimming 수영하는 중

☑ 체크 동사 have가 '가지다'의 뜻일 때는 진행형으로 쓰일 수 없지만, '먹다'라는 뜻일 때는 진행형으로 쓰일 수 있어요.
We **are having** lunch. (우리는 점심을 먹고 있다.)

A 다음 주어진 동사의 -ing 형태로 알맞은 것을 고르세요.

❶ make   ((making) / makeing)

❷ run   (runing / running)

❸ eat   (eatting / eating)

❹ begin   (begining / beginning)

❺ cut   (cuting / cutting)

❻ live   (living / liveing)

❼ sit   (sitting / siting)

B 다음 (   ) 안에서 알맞은 것을 고르세요.

❶ They are (walk / (walking)).   그들은 걷고 있다.

❷ She (am / is / are) watching TV.   그녀는 TV를 보고 있다.

❸ I'm (have / having) breakfast.   나는 아침을 먹고 있다.

❹ The baby (am / is / are) crying.   그 아기는 울고 있다.

❺ Tony is (take / taking) pictures.   토니는 사진을 찍고 있다.

❻ The kids (am / is / are) smiling.   그 아이들은 미소 짓고 있다.

❼ The cat is (sleepping / sleeping).   그 고양이는 자고 있다.

❽ We (am / is / are) doing our homework.   우리는 숙제를 하고 있다.

C 다음 그림을 보고, 보기의 단어를 이용하여 현재진행형 문장을 완성하세요.

| 보기 | swim | ride | paint | wash |

❶  My brother is _____riding_____ a bike.

❷  They are _____ the dishes.

❸  John is _____ a picture.

❹  The dog is _____ in the lake.

D 우리말에 맞게 주어진 단어를 이용하여 문장을 완성하세요.

❶ 그는 탁자를 옮기고 있다. (move)

→ He _____is_____ _____moving_____ a table.

❷ 나는 이메일을 쓰고 있다. (write)

→ I _____ _____ an e-mail.

❸ 우리는 도서관에 가고 있다. (go)

→ We _____ _____ to the library.

❹ Jack(잭)은 그의 방을 청소하고 있다. (clean)

→ Jack _____ _____ his room.

A 알맞은 것에 체크하고, 문장을 완성하세요.

❶ They [are eating] lunch . ☐ are eatting ☑ are eating

❷ Sean [   ] a cap . ☐ is wearing ☐ are wearing

❸ I [   ] sandwiches . ☐ am making ☐ am makeing

❹ She [   ] a box . ☐ is carry ☐ is carrying

❺ They [   ] the tree . ☐ are cutting ☐ are cuting

B 우리말에 맞게 보기에서 알맞은 단어를 골라 바꿔 쓴 다음, 전체 문장을 다시 쓰세요.

| 보기 | is | are | bake | brush | sing |

❶ 그 아이들은 노래를 부르고 있다.

[a song] [The children] [are singing] .

→ The children are singing a song.

❷ Daniel(다니엘)은 이를 닦고 있다.

[his teeth] [   ] [Daniel] .

→ _____

❸ 그들은 케이크를 굽고 있다.

[   ] [They] [a cake] .

→ _____

UNIT 2

현재진행형의 부정문

I am not singing.

 **Step 1** '~하고 있지 않다'는 어떻게 나타내는지 알아볼까요?

현재진행형의 부정문은 '~하고 있지 않다'라는 의미로, be동사의 부정문과 마찬가지로 be동사 am, are, is 바로 뒤에 not을 써서 「be동사의 현재형+not+동사의 -ing형」으로 나타내요.

+ 현재진행형의 부정문 +

	am/are/is + not	+ 동사의 -ing형
단수 (하나)	I am **not** You(너) are **not** He/She/It is **not**	singing.
복수 (여럿)	We are **not** You(너희들) are **not** They are **not**	

+ be동사 + not의 줄임말 +

I am not → I'm not	is not → isn't	are not → aren't
I'm not watching TV. **I'm reading** a book. 나는 TV를 보고 있지 않다. 나는 책을 읽고 있다.	He **isn't sitting.** He **is running.** 그는 앉아 있지 않다. 그는 달리고 있다.	They **aren't dancing.** They **are playing** soccer. 그들은 춤을 추고 있지 않다. 그들은 축구를 하고 있다.

✔체크 am not을 제외한 'be동사+not'의 줄임말은 현재진행형의 부정문에서도 쓰여요.

A 다음 ( ) 안에서 알맞은 것을 고르세요.

❶ I (am not / not am) reading a book.   나는 책을 읽고 있지 않다.

❷ He isn't (listen / listening) to music.   그는 음악을 듣고 있지 않다.

❸ They (am not / are not) running.   그들은 달리고 있지 않다.

❹ The bears aren't (sleeping / sleep).   그 곰들은 자고 있지 않다.

❺ James (not is / is not) buying fruits.   제임스는 과일을 사고 있지 않다.

❻ We are (not sitting / sitting not).   우리는 앉아 있지 않다.

B 다음 그림을 보고, 알맞은 문장을 고르세요.

❶
- ☐ She is playing the violin.
- ☑ She isn't playing the violin.

❷
- ☐ The bird is singing.
- ☐ The bird isn't singing.

❸
- ☐ The kids are eating pizza.
- ☐ The kids aren't eating pizza.

❹
- ☐ The girl is taking a bus.
- ☐ The girl isn't taking a bus.

C 다음 그림을 보고, 주어진 단어를 이용하여 현재진행형 문장을 완성하세요.

❶
read | My brother is ___not___ ___reading___ a book.
watch | He is ___watching___ TV.

❷
brush | I'm _____ _____ my teeth.
wash | I'm _____ my face.

❸
walk | Ron and Jane are _____ _____.
run | They are _____.

❹
cook | Liam is _____ _____ pasta.
make | He is _____ a cake.

D 우리말에 맞게 주어진 단어를 이용하여 문장을 완성하세요.

❶ 우리는 집을 청소하고 있지 않다. (clean)

→ We ___aren't___ ___cleaning___ the house.

❷ Julia(줄리아)는 아침을 먹고 있지 않다. (eat)

→ Julia _____ _____ breakfast.

❸ 그 관광객들은 사진을 찍고 있지 않다. (take)

→ The tourists _____ _____ pictures.

❹ Nate(네이트)는 그의 할머니를 도와드리고 있지 않다. (help)

→ Nate _____ _____ his grandma.

A 알맞은 것에 체크하고, 문장을 완성하세요.

❶ [I'm] [not cooking] . ☑ not cooking ☐ am not cooking

❷ [We] [　　　　] . ☐ aren't dance ☐ aren't dancing

❸ [The boys] [　　　　] . ☐ aren't swiming ☐ aren't swimming

❹ [She] [　　　　] [home] . ☐ not coming ☐ isn't coming

❺ [Simon] [　　　　] [the roof] . ☐ isn't fixing ☐ aren't fixing

B 우리말에 맞게 보기에서 알맞은 단어를 골라 바꿔 쓴 다음, 전체 문장을 다시 쓰세요.

보기	is	are	drink	make	wash

❶ 그 남자아이는 손을 씻고 있지 않다.

[isn't washing] [The boy] [his hands] .

→ The boy isn't washing his hands.

❷ 그들은 차를 마시고 있지 않다.

[tea] [　　　　] [They] .

→ ＿＿＿＿＿＿＿＿＿＿＿＿＿＿＿＿

❸ Dave(데이브)는 로봇을 만들고 있지 않다.

[　　　　] [a robot] [Dave] .

→ ＿＿＿＿＿＿＿＿＿＿＿＿＿＿＿＿

UNIT 3

현재진행형의 의문문

Are you sleeping?

Step 1 '~하고 있니?'는 어떻게 나타내는지 알아볼까요?

현재진행형의 의문문은 '~하고 있니?'라는 의미로, be동사의 의문문과 마찬가지로
주어와 be동사의 위치만 바꾸어 「be동사의 현재형+주어+동사의 -ing형 ~?」으로 나타내요.

✛ 현재진행형의 의문문 ✛

	Am/Are/Is + 주어 + 동사의 -ing형 ~?
단수 (하나)	He **is playing** the piano. 그는 피아노를 치고 있다. → **Is he** playing the piano? 그는 피아노를 치고 있니?
복수 (여럿)	They **are eating** pizza. 그들은 피자를 먹고 있다. → **Are they** eating pizza? 그들은 피자를 먹고 있니?

✛ 현재진행형 의문문에 대한 대답: Yes/No ✛

	질문	Yes로 대답 (긍정) 응, 그래.	No로 대답 (부정) 아니, 그렇지 않아.
단수 (하나)	Are you sing**ing**?	Yes, I **am**.	No, I'm **not**.
	Is he/she/it sing**ing**?	Yes, he/she/it **is**.	No, he/she/it **isn't**.
복수 (여럿)	Are you sing**ing**?	Yes, we **are**.	No, we **aren't**.
	Are they sing**ing**?	Yes, they **are**.	No, they **aren't**.

✔ 체크 No로 대답할 때는 'be동사+not'의 줄임말을 쓰지만, Yes로 대답할 때는 줄임말을 쓰지 않아요.
Yes, he's. (X)

A 다음 ( ) 안에서 알맞은 것을 고르세요.

❶ (Is / Does) he crying?　　　　　그는 울고 있니?

❷ Is Sally (brush / brushing) her hair?　　샐리는 머리를 빗고 있니?

❸ Are you (play / playing) the flute?　　너는 플루트를 연주하고 있니?

❹ (Is / Are) the students studying?　　그 학생들은 공부하고 있니?

❺ (Is she / She is) fixing the computer?　그녀는 컴퓨터를 고치고 있니?

❻ Are they (eat / eating) lunch?　　그들은 점심을 먹고 있니?

❼ Is (Ted washing / washing Ted) his car?　테드는 세차를 하고 있니?

B 다음 문장을 의문문으로 바꿀 때, 빈칸에 알맞은 말을 쓰세요.

❶ He is cooking.

→ ___Is___ ___he___ cooking?

❷ They are drinking coffee.

→ _____ _____ drinking coffee?

❸ She is opening the window.

→ _____ _____ opening the window?

❹ You are listening to music.

→ _____ _____ listening to music?

❺ Max is dancing.

→ _____ _____ dancing?

❻ The children are drawing pictures.

→ _____ _____ _____ drawing pictures?

C 다음 그림을 보고, 보기의 단어를 이용하여 현재진행형 문장을 완성하세요.

| 보기 | is | are | swim | make | paint | help | wear |

① __Is__ he __helping__ his grandma?

② _____ he _____ a snowman?

③ _____ Jack _____ a picture?

④ _____ you _____ in the pool?

⑤ _____ your brother _____ a cap?

D 다음 대화의 빈칸에 들어갈 알맞은 대답을 쓰세요.

① Q Are you playing tennis?　　A Yes, ____I____ ___am___.

② Q Is she singing?　　A No, _____ _____.

③ Q Are they building the house?　　A No, _____ _____.

④ Q Is Brian working?　　A Yes, _____ _____.

⑤ Q Are you taking a shower?　　A No, _____ _____.

A 알맞은 것에 체크하고, 대화를 완성하세요.

① Q [Are] [you] [learning] [Chinese] ? ☐ Am ☑ Are

A [No] , [I'm] [not] .

② Q [　　] [she] [washing] [her car] ? ☐ Is ☐ Are

A [Yes] , [　　] [　　] .

③ Q [Is] [your dad] [　　] [soccer] ? ☐ plays ☐ playing

A [Yes] , [　　] [　　] .

B 우리말에 맞게 보기에서 알맞은 단어를 골라 바꿔 쓴 다음, 전체 문장을 다시 쓰세요.

| 보기 | buy | make | paint |

① 너희들은 파이를 만들고 있니?

[a pie] [?] [Are] [making] [you]

→ Are you making a pie?

② Ken(켄)은 꽃을 사고 있니?

[　　　] [Ken] [Is] [?] [flowers]

→ _____

③ 그들은 벽에 페인트를 칠하고 있니?

[Are] [the wall] [　　　] [?] [they]

→ _____

CHAPTER EXERCISE

정답과 해설 p.24

[01~02] 다음 중 동사원형과 동사의 -ing형이 잘못 짝지어진 것을 고르세요.

01 ① cut - cuting

② take - taking

③ cry - crying

④ sing - singing

02 ① sit - sitting

② make - making

③ smile - smileing

④ brush - brushing

[03~06] 우리말에 맞게 ( ) 안에서 알맞은 것을 고르세요.

03 The boy (flies / is flying) a kite.

그 남자아이는 연을 날리고 있다.

04 Ms. Martin (teaches / is teaching) history.

마틴 씨는 역사를 가르친다.

05 They (ride / are riding) a horse.

그들은 말을 타고 있다.

06 The kids (are / aren't) making a snowman.

그 아이들은 눈사람을 만들고 있지 않다.

[07~09] 다음 그림을 보고, ( ) 안에서 알맞은 것을 고르세요.

07

I'm (study / studying).

08

He (isn't / aren't) doing his homework.

09

They are (watching / not watching) TV.

10 다음 빈칸에 들어갈 말이 바르게 짝지어진 것을 고르세요.

· He is _____ on the sofa.

· Are you _____ home?

① siting - going

② siting - go

③ sitting - going

④ sitting - go

11 다음 밑줄 친 부분이 올바른 것을 고르세요.

① I <u>amn't drinking</u> coffee.
② Mom <u>is having</u> dinner.
③ <u>Does Lily</u> cleaning her room?
④ We <u>are reading not</u> books.

[12~14] 우리말에 맞게 주어진 단어를 이용하여 문장을 완성하세요.

12 나는 상자를 나르고 있다.
→ I _____ _____ a box.
(carry)

13 그녀는 라디오를 듣고 있지 않다.
→ She _____ _____
to the radio. (listen)

14 너는 샌드위치를 만들고 있니?
→ _____ you _____
a sandwich? (make)

[15~16] 우리말에 맞게 주어진 말을 바르게 배열하세요.

15 Ted(테드)는 우유를 마시고 있니?

drinking ? Ted Is milk

→ _____

16 그녀는 자전거를 타고 있지 않다.

riding She is a bike not .

→ _____

[17~18] 다음 그림을 보고, 알맞은 대화를 완성하세요.

17

Q _____ it sleeping?
A No, _____ _____.

18

Q _____ she wearing
glasses?
A Yes, _____ _____.

[19~20] 다음 문장을 괄호 안의 지시대로 바꿔 쓰세요.

19 Jenny is washing her hair.
→ (부정문) _____
_____

20 The monkeys are eating bananas.
→ (의문문) _____
_____

REVIEW

A 다음 ( ) 안에서 알맞은 것을 고르세요.

❶ She ((isn't) / doesn't) driving her car.

❷ My uncle can (fix / fixes) the computer.

❸ Brian is (cuting / cutting) the paper.

❹ Is he (carries / carrying) a box?

❺ Ted (cannot / cans not) make cookies.

B 우리말에 맞게 ( ) 안에서 알맞은 것을 고르세요.

❶ He ((is) / can) (wash / (washing)) dishes.
그는 설거지를 하고 있다.

❷ Cindy (is / can) (play / playing) the piano.
신디는 피아노를 칠 수 있다.

❸ My friends (aren't / can't) (swim / swimming).
내 친구들은 수영하고 있지 않다.

❹ (Can / Are) they (speak / speaking) French?
그들은 프랑스어를 할 수 있니?

❺ My brother (isn't / can't) (climb / climbing) trees.
내 남동생은 나무에 오를 수 없다.

C 다음 밑줄 친 부분을 바르게 고쳐 쓰세요.

❶ <u>Henry can</u> jump rope? → <u>Can Henry</u>

❷ Is he <u>rideing</u> a bike? → _____

❸ She can <u>playing</u> tennis. → _____

CHAPTER 7

명령문과 제안문

학습 목표

UNIT 1 **명령문**

'~해라' 또는 '~하지 마라'라고 명령하는 문장을 만들 수 있어요.

Close the door.

UNIT 2 **제안문**

'~하자'라고 상대방에게 제안하는 문장을 만들 수 있어요.

Let's ride a bike.

UNIT 1 · Close the door.

Step 1 · 상대방에게 무언가를 지시하려면 어떻게 표현해야 할까요?

명령문은 상대방에게 '~해라' 또는 '~하지 마라'라고 상대방에게 어떤 행동을 지시하거나 명령할 때 사용해요.
'~해라'의 긍정 명령문은 주어를 생략하고 항상 '동사원형'으로 시작하고,
'~하지 마라'의 부정 명령문은 「Don't/Do not+동사원형 ~」으로 시작해요.

+ 긍정 명령문: ~해라 +

일반동사가 있는 명령문	be동사가 있는 명령문
동사원형 ~.	Be ~.
You sit down. → **Sit** down. 앉아.	**You are** careful. → **Be** careful. 조심해.
Hurry up, **please.** 서둘러 주세요.	**Please** be quiet. 조용히 해주세요.

✅ 체크 be동사 am, are, is의 동사원형은 be이므로, Be로 시작하는 명령문이 돼요.

✅ 체크 명령문의 앞이나 뒤에 please를 붙이면 좀 더 공손한 표현이 돼요.

> 명령문에서는 주어인 You가 없어도 누구한테 말하는지 알 수 있기 때문에 You를 생략해요.

+ 부정 명령문: ~하지 마라 +

일반동사가 있는 명령문	be동사가 있는 명령문
Don't/Do not + 동사원형 ~.	**Don't/Do not be** ~.
Do not run. 뛰지 마시오.	**Don't be** late. 늦지 마.
Do not take a picture. 사진을 찍지 마시오.	**Don't be** sad. 슬퍼하지 마.

> 부정 명령문은 표지판 등에 자주 쓰여요.

A 다음 문장을 명령문으로 바꿀 때, ( ) 안에서 알맞은 것을 고르세요.

❶ You close the door. → ((Close) / Closes) the door.

❷ You are quiet. → (Are / Be) quiet.

❸ You don't touch it. → (Don't / Not) touch it.

❹ You turn on the TV. → (Turning / Turn) on the TV.

❺ You don't make noise. → Don't (make / makes) noise.

❻ You are careful. → (Be / Are) careful.

B 우리말에 맞게 주어진 단어를 이용하여 문장을 완성하세요.

❶ 서둘러라. → _____Hurry_____ up. (hurry)

❷ 일어나 주세요. → _____ up, please. (stand)

❸ 창문을 닫아라. → _____ the window. (close)

❹ 네 방을 청소해라. → _____ your room. (clean)

❺ 네 손을 들어라. → _____ your hand. (raise)

❻ 부끄러워하지 마. → _____ _____ shy. (be)

❼ 사진을 찍지 마시오. → _____ _____ a picture. (take)

❽ 도서관에서 뛰지 마라. → _____ _____ in the library. (run)

C 다음 밑줄 친 부분이 맞으면 O, 틀리면 ×하고 바르게 고쳐 쓰세요.

❶ Don't <u>lies</u> to me.   내게 거짓말 하지 마.   → ×, lie

❷ <u>Opening</u> your book.   책을 펴라.   →

❸ <u>Do</u> your homework.   숙제를 해라.   →

❹ <u>Brushes</u> your hair.   머리를 빗어라.   →

❺ <u>Don't</u> be late.   늦지 마라.   →

❻ <u>Go</u> to bed now.   지금 잠자리에 들어라.   →

D 다음 그림을 보고, 보기의 단어를 이용하여 명령문을 완성하세요.

보기	hurry	be	wait	eat

❶ That's noisy. _____Be_____ quiet.

그것은 시끄러워. 조용히 해.

❷ The light is red. _____ a minute.

빨간불이야. 잠시 기다려.

❸ The floor is wet. _____ careful.

바닥이 젖어 있어. 조심해.

❹ _____ _____ fast food.

패스트푸드를 먹지 마라.

❺ You're late. _____ up.

너는 늦었어. 서둘러.

A 알맞은 것에 체크하고, 문장을 완성하세요.

❶ Be [polite] . ☑ Be ☐ Being

❷ _____ [the box] . ☐ Not open ☐ Don't open

❸ _____ [your homework] . ☐ Do ☐ Doing

❹ _____ [the dishes] . ☐ Washes ☐ Wash

❺ _____ [the street] . ☐ Don't cross ☐ Don't crossing

B 우리말에 맞게 보기에서 알맞은 것을 골라 쓴 다음, 전체 문장을 다시 쓰세요.

| 보기 | wash | be | sleep | don't |

❶ 수업 중에 자지 마라.

[Don't sleep] [in class] .

→ Don't sleep in class.

❷ 네 손을 씻어라.

[your] [hands] [_____] .

→ _____

❸ 겁내지 마.

[afraid] [_____] .

→ _____

UNIT 2
제안문
Let's ride a bike.

Step 1 상대방에게 무언가를 같이 하자고 권할 때는 어떻게 표현할까요?

제안문은 상대방에게 '~하자'라고 무언가를 권하거나 요청할 때 사용해요.
'~하자'라는 의미는 「Let's+동사원형 ~」으로 나타내고, '~하지 말자'는 「Let's not+동사원형 ~」으로 나타내요.

✛ 긍정 제안문: (우리) ~하자 ✛

일반동사가 있는 제안문	be동사가 있는 제안문
Let's + 동사원형 ~.	Let's be ~.
 **Let's eat** pizza. 피자를 먹자. **Let's play** soccer. 축구 하자. **Let's play** on the slide. 미끄럼틀을 타자.	 **Let's be** careful. 조심하자. **Let's be** polite. 예의 바르게 하자.

✛ 부정 제안문: (우리) ~하지 말자 ✛

일반동사가 있는 제안문	be동사가 있는 제안문
Let's not + 동사원형 ~.	Let's not be ~.
Let's not make noise. 시끄럽게 하지 말자.	**Let's not be** late. 늦지 말자.

A 우리말에 맞게 ( ) 안에서 알맞은 것을 고르세요.

❶ Let's ((clean) / cleans) the house.　　　　집을 청소하자.

❷ Let's (ride / riding) a bike.　　　　자전거를 타자.

❸ (Let / Let's) listen to music.　　　　음악을 듣자.

❹ (Don't / Let's not) take a bus.　　　　버스를 타지 말자.

❺ Let's (be / are) friends.　　　　친구가 되자.

❻ Let's (not be / be not) late.　　　　늦지 말자.

❼ Let's (going / go) shopping.　　　　쇼핑하러 가자.

❽ (Not let's / Let's not) open the door.　　　　문을 열지 말자.

B 우리말에 맞게 보기의 단어를 이용하여 문장을 완성하세요.

| 보기 | let's | not | watch | go | play | have |

❶ 점심을 먹자.

→ _____Let's_____ _____have_____ lunch.

❷ 영화를 보자.

→ _____ _____ a movie.

❸ 밖에 나가지 말자.

→ _____ _____ _____ outside.

❹ 게임하지 말자.

→ _____ _____ _____ games.

C 다음 밑줄 친 부분이 맞으면 O, 틀리면 ×하고 바르게 고쳐 쓰세요.

❶ Let's <u>make not</u> a cake. 케이크를 만들지 말자. → _×, not make_

❷ <u>Let</u> be honest. 정직하자. → _____

❸ Let's <u>meet</u> tomorrow. 내일 만나자. → _____

❹ Let's <u>goes</u> home. 집에 가자. → _____

❺ <u>Not let's</u> watch TV. TV를 보지 말자. → _____

❻ Let's <u>doing</u> our homework. 우리 숙제하자. → _____

D 다음 그림을 보고, 주어진 단어를 이용하여 제안문을 완성하세요.

1  2  3

4  5  6

❶ ___Let's___ ___draw___ a picture. (draw)

❷ _____ _____ the car. (wash)

❸ _____ _____ in the pool. (swim)

❹ _____ _____ a bike. (ride)

❺ _____ _____ _____ up in class. (not, stand)

_____ _____ down. (sit)

❻ _____ _____ _____ at home. (not, stay)

_____ _____ hiking. (go)

A 알맞은 것에 체크하고, 문장을 완성하세요.

❶ | Let's | take | a walk | . ☑ take ☐ takes

❷ | Let's | | soda | . ☐ drink not ☐ not drink

❸ | | together | . ☐ Lets study ☐ Let's study

❹ | | take a taxi | . ☐ Not let's ☐ Let's not

❺ | Let's | | to the park | . ☐ not go ☐ not going

B 우리말에 맞게 보기에서 알맞은 것을 골라 쓴 다음, 전체 문장을 다시 쓰세요.

보기   Let's   eat   play

❶ 축구를 하자.

| soccer | Let's | play | .

→ Let's play soccer.

❷ 눈사람을 만들자.

| a snowman | | make | .

→ _____

❸ 아이스크림을 먹지 말자.

| | not | ice cream | Let's |

→ _____

CHAPTER EXERCISE

정답과 해설 **p.27**

[01~03] 다음 (   ) 안에서 알맞은 것을 고르세요.

01 (Don't / Doesn't) move.

움직이지 마라.

02 Let's (don't / not) play computer games.

컴퓨터 게임을 하지 말자.

03 Don't (climb / climbing) the tree.

나무에 오르지 마라.

[04~05] 다음 빈칸에 들어갈 말로 알맞은 것을 고르세요.

04
> Let's _____.

① dances   ② dancing

③ dance   ④ be dance

05
> _____ quiet.

① Do   ② Is

③ Are   ④ Be

06 다음 우리말을 영어로 바르게 옮긴 것을 고르세요.

> 밖에서 놀지 말자.

① Let's play outside.

② Let's not play outside.

③ Let's play not outside.

④ Not let's play outside.

07 다음 빈칸에 공통으로 들어갈 말로 알맞은 것을 고르세요.

> • Don't _____ late.
> • _____ careful.

① not[Not]   ② do[Do]

③ be[Be]   ④ are[Are]

[08~10] 다음 밑줄 친 부분을 바르게 고쳐 쓰세요.

08 Don't <u>cries</u>. 울지 마.

→ _____

09 <u>Let</u> play basketball. 농구하자.

→ _____

10 <u>Standing up</u>, please. 일어나주세요.

→ _____

[11~13] 다음 그림을 보고, 우리말에 맞게 주어진 동사를 바르게 바꿔 쓰세요.

11

_____ polite. (be)

예의 바르게 해라.

12

_____ the dishes. (wash) 설거지하자.

13

_____ a picture. (take) 사진을 찍지 마시오.

[14~15] 다음 중 틀린 문장을 고르세요.

14 ① Close the door.
② Don't stands up.
③ Come here.
④ Don't call me.

15 ① Sit down.
② Be open your book.
③ Please be quiet.
④ Do your homework.

[16~17] 다음 빈칸에 들어갈 말로 알맞지 않은 것을 고르세요.

16

_____ juice.

① Drink   ② Let drink
③ Let's not drink   ④ Don't drink

17

_____ home.

① Let's go   ② Go
③ Let's not go   ④ Not go

[18~20] 우리말에 맞게 빈칸에 알맞은 말을 쓰세요.

18 You open the window.

→ _____ the window.

창문을 열어라.

19 You don't bring your umbrella.

→ _____ _____ your umbrella.

네 우산을 가져오지 마.

20 We cross the street.

→ _____ _____ the street.

길을 건너자.

REVIEW

A 다음 ( ) 안에서 알맞은 것을 고르세요.

❶ ((Don't) / Doesn't) be sad.

❷ We are (take / taking) a walk.

❸ (Let's / Lets) swim in the sea.

❹ (Wearing / Wear) your coat.

❺ Rachel (isn't / not) doing her homework.

B 우리말에 맞게 보기에서 알맞은 것을 골라 바꿔 쓰세요.

보기	draw	clean	let's	is	are

❶ ___Clean___ your room.   네 방을 청소해라.

❷ _____ _____ pictures.   그림을 그리자.

❸ Erin _____ _____ her room.   에린은 그녀의 방을 청소하고 있다.

❹ They _____ _____ cartoons.   그들은 만화를 그리고 있다.

C 다음 밑줄 친 부분을 바르게 고쳐 쓰세요.

❶ Let's <u>are</u> careful.   → ___be___

❷ Is Fred <u>visit</u> his aunt?   → _____

❸ Do <u>swim not</u> here.   → _____

❹ <u>Do</u> you watching TV?   → _____

왓츠 그래여!

FINAL TEST 1회

[01~02] 다음 그림을 보고, ( ) 안에서 알맞은 것을 고르세요.

01

→ (a / an / ×) basketball

02

→ (a / an / ×) salt

03 다음 중 명사의 복수형이 <u>잘못</u> 짝지어진 것을 고르세요.

① watch - watches

② box - boxes

③ knife - knives

④ man - mans

04 다음 중 <u>틀린</u> 문장을 고르세요.

① I see a bird.

② It is a chair.

③ Look at a sky.

④ I have an orange.

[05~06] 다음 밑줄 친 부분의 줄임말을 빈칸에 쓰세요.

05

<u>They are</u> my friends.

→ _____

06

He is <u>not</u> a firefighter.

→ _____

[07~08] 다음 빈칸에 공통으로 들어갈 말로 알맞은 것을 고르세요.

07

• Tim and I _____ at school.

• The dishes _____ not clean.

① is   ② aren't

③ am   ④ are

08

• This is _____ violin.

• These are _____ toys.

① her   ② she

③ I   ④ he

[09~11] 다음 ( ) 안에서 알맞은 것을 고르세요.

09 (Are / Is) you thirsty?
너는 목이 마르니?

10 It is (he / his) notebook.
그것은 그의 공책이다.

11 These (isn't / aren't) my shoes.
이것들은 내 신발이 아니다.

[12~15] 다음 주어진 단어를 이용하여 문장을 완성하세요.

12 Sam _____ two sisters.
(have)
샘은 여동생 두 명이 있다.

13 Lucy _____ English.
(study)
루시는 영어를 공부한다.

14 My grandma _____ to the library. (go)
나의 할머니는 도서관에 가신다.

15 My brother _____
_____ onions. (like)
내 남동생은 양파를 싫어한다.

16 다음 문장을 부정문으로 바르게 바꾼 것을 고르세요.

We have homework.

① We not have homework.

② We doesn't have homework.

③ We don't have homework.

④ We don't has homework.

17 다음 문장을 의문문으로 바르게 바꾼 것을 고르세요.

Clara wears glasses.

① Do Clara wear glasses?

② Does Clara wears glasses?

③ Does Clara wear glasses?

④ Clara does wears glasses?

18 다음 중 짝지어진 대화가 <u>어색한</u> 것을 고르세요.

① **Q** Who is she?

   A She is my sister.

② **Q** What are they?

   A They are my cousins.

③ **Q** Where is my dog?

   A It's under the table.

④ **Q** How are you?

   A I'm good.

[19~21] 다음 그림을 보고, ( ) 안에서 알맞은 것을 고르세요.

19

Q (Where / What) (is / are) the cat?

A It is on the sofa.

20

Q What (do / does) you (have / has) for lunch ?

A I have a salad.

21

Q (How / What) day is it?

A It's Thursday.

[22~24] 다음 빈칸에 들어갈 말로 알맞은 것을 고르세요.

22

I _____ cook pasta.

나는 파스타를 요리할 수 있다.

① am　　　　② does

③ can　　　　④ doesn't

23

He _____ drive a car.

그는 차를 운전할 수 없다.

① can　　　　② can't

③ are　　　　④ do

24

Can she _____ soccer?

그녀는 축구를 할 수 있니?

① plays　　　② playing

③ is　　　　　④ play

25 다음 밑줄 친 부분을 바르게 고친 것을 고르세요.

Jack is swim in the lake.

① swim

② swimming

③ is swimming

④ are swimming

[26~28] 우리말에 맞게 ( ) 안에서 알맞은 것을 고르세요.

26 내 삼촌은 설거지를 하고 계신다.

→ My uncle (is / can) (wash / washing) the dishes.

27 그 개는 자고 있지 않다.

→ The dog (isn't / aren't) (sleep / sleeping).

28 그녀는 달리고 있니?

→ Is she (runing / running)?

29 다음 문장을 명령문으로 바르게 바꾼 것을 고르세요.

> You don't take pictures.

① Doesn't take pictures.
② Don't take pictures.
③ Not take pictures.
④ Don't takes pictures.

30 다음 중 올바른 문장을 고르세요.

① Let's eats pizza.
② Let's be not late.
③ Let's go home.
④ Let's be close the door.

틀린 문제가 어느 챕터에 해당하는지 확인하고, 복습해보세요.

정답과 해설 **p.28**

1	2	3	4	5	6	7	8	9	10
Ch1	Ch1	Ch1	Ch1	Ch2	Ch2	Ch2	Ch2	Ch2	Ch2
11	**12**	**13**	**14**	**15**	**16**	**17**	**18**	**19**	**20**
Ch2	Ch3	Ch3	Ch3	Ch3	Ch3	Ch3	Ch4	Ch4	Ch4
21	**22**	**23**	**24**	**25**	**26**	**27**	**28**	**29**	**30**
Ch4	Ch5	Ch5	Ch5	Ch6	Ch6	Ch6	Ch6	Ch7	Ch7

FINAL TEST 2회

01 다음 중 명사의 복수형이 <u>잘못</u> 짝지어진 것을 고르세요.

① baby - babies

② bus - buses

③ box - boxs

④ leaf - leaves

02 다음 중 <u>틀린</u> 문장을 고르세요.

① Sam wants juice.

② He has an orange.

③ Nancy needs time.

④ I have a homework.

[03~04] 다음 빈칸에 들어갈 말로 알맞은 것을 고르세요.

03

We have three _____es.

① apple   ② dish

③ cat   ④ sheep

04

They are _____.

① men   ② dog

③ child   ④ church

05 다음 밑줄 친 부분이 <u>잘못된</u> 것을 고르세요.

① I see <u>a rabbit</u>.

② Look at <u>the flower</u>.

③ <u>A moon</u> is bright.

④ <u>The girls</u> are my friends.

06 다음 문장의 밑줄 친 부분을 바르게 줄여 쓴 것을 고르세요.

<u>They are</u> my sisters.

① They'er   ② They're

③ They'ar   ④ They'are

07 다음 빈칸에 들어갈 말이 바르게 짝지어 진 것을 고르세요.

• _____ is a basketball player.

• The dishes _____ on the table.

① I - are   ② She - are

③ He - is   ④ We - is

[08~09] 다음 (   ) 안에서 알맞은 것을 고르세요.

08 He (isn't / aren't) a teacher.

그는 선생님이 아니다.

09 (Is / Are) you from America?

너는 미국에서 왔니?

[10~12] 우리말에 맞게 보기에서 알맞은 것을 골라 문장을 완성하세요.

<보기>	that	this	these
	those	her	my

10 이것들은 그녀의 가방들이니?

→ Are _____ _____ bags?

11 그것은 나의 책이다.

→ It is _____ book.

12 저것은 필통이다.

→ _____ is a pencil case.

13 다음 중 올바른 문장을 고르세요.

① Kate play the violin.

② She don't drive a car.

③ Does he has a pen?

④ Carl doesn't like the book.

[14~16] 다음 그림을 보고, 주어진 단어를 이용하여 빈칸을 완성하세요.

14

Cathy _____ her hair. (brush)

캐시는 머리를 빗는다.

15

We _____ _____ bikes. (ride)

우리는 자전거를 타지 않는다.

16

Q _____ you _____ a dog? (have) 너는 개가 있니?

A Yes, _____.

응, 그래.

[17~19] 다음 그림을 보고, ( ) 안에서 알맞은 것을 고르세요.

17

Q (Where / What) are they?

A They are at the zoo.

18

Q (How / What) time is it?

A It's eleven ten.

19

Q What (do / does) she
(have / has)?

A She has a cat.

20 다음 중 짝지어진 대화가 <u>어색한</u> 것을 고르세요.

① **Q** What are these?

  A These are my socks.

② **Q** What day is it?

  A It's four o'clock.

③ **Q** How old is he?

  A He's nine years old.

④ **Q** What does it like?

  A It likes carrots.

[21~23] 우리말에 맞게 주어진 동사와 can을 이용하여 문장을 완성하세요.

21 나의 언니는 피아노를 칠 수 있다.

→ My sister _____

  _____ the piano. (play)

22 그 남자아이들은 TV를 고칠 수 없다.

→ The boys _____

  _____ the TV. (fix)

23 호랑이들은 날 수 있니?

→ _____ tigers _____?

(fly)

24 다음 밑줄 친 부분이 **잘못된** 것을 고르세요.

① He is <u>going</u> to school.

② Jake is <u>eating</u> a salad.

③ They <u>are writing</u> letters.

④ The girl is <u>swiming</u> in the lake.

[25~27] 다음 밑줄 친 부분을 바르게 고쳐 쓰세요.

25 She <u>not is</u> dancing.

→ _____

26 They are <u>liveing</u> in Seoul.

→ _____

27 <u>Is you</u> studying math?

→ _____

28 다음 중 올바른 문장을 고르세요.

① Don't is shy.

② Let's go home.

③ Be close the door.

④ Don't uses my pen.

[29~30] 다음 빈칸에 들어갈 말로 알맞은 것을 고르세요.

29 Let's not _____ late.

① do   ② is

③ be   ④ are

30 _____ down, please.

① Sits   ② Sit

③ Be   ④ Let's

틀린 문제가 어느 챕터에 해당하는지 확인하고, 복습해보세요.   정답과 해설 **p.30**

1	2	3	4	5	6	7	8	9	10
Ch1	Ch1	Ch1	Ch1	Ch1	Ch2	Ch2	Ch2	Ch2	Ch2
11	12	13	14	15	16	17	18	19	20
Ch2	Ch2	Ch3	Ch3	Ch3	Ch3	Ch4	Ch4	Ch4	Ch4
21	22	23	24	25	26	27	28	29	30
Ch5	Ch5	Ch5	Ch6	Ch6	Ch6	Ch6	Ch7	Ch7	Ch7

1 구문

판매 1위 '천일문' 콘텐츠를 활용하여 정확하고 다양한 구문 학습

(끊어읽기) (해석하기) (문장 구조 분석) (해설·해석 제공) (단어 스크램블링) (영작하기)

2 문법·서술형

쎄듀의 모든 문법 문항을 활용하여 내신까지 해결하는 정교한 문법 유형 제공

(객관식과 주관식의 결합) (문법 포인트별 학습) (보기를 활용한 집합 문항) (내신대비 서술형) (어법+서술형 문제)

3 어휘

초·중·고·공무원까지 방대한 어휘량을 제공하며 오프라인 TEST 인쇄도 가능

(영단어 카드 학습) (단어 ↔ 뜻 유형) (예문 활용 유형) (단어 매칭 게임)

4 선생님 보유 문항 이용

(Online Test) (OMR Test)

cafe.naver.com/cedulearnteacher

쎄듀런 학습 정보가 궁금하다면?

쎄듀런 Cafe

· 쎄듀런 사용법 안내 & 학습법 공유
· 공지 및 문의사항 QA
· 할인 쿠폰 증정 등 이벤트 진행

Start
2

What's Grammar

WORKBOOK

교육부 지정
초등 필수 영문법

쎄듀

왓츠
What's
Grammar

WORKBOOK

UNIT 1　셀 수 있는 명사와 셀 수 없는 명사

◐ 다음 ( ) 안에서 알맞은 것을 고르세요.

01 (a umbrella / (an umbrella)) 우산 　　**02** (Seoul / a Seoul) 서울

03 (a orange / an orange) 오렌지 　　**04** (a egg / an egg) 달걀

05 (bread / a bread) 빵 　　**06** (hope / a hope) 희망

07 (an bicycle / a bicycle) 자전거 　　**08** (an taxi / a taxi) 택시

09 (salt / a salt) 소금 　　**10** (dishes / dish) 접시들

11 (volleyball / a volleyball) 배구 　　**12** (Kate / a Kate) 케이트

13 (train / trains) 기차들 　　**14** (milk / milks) 우유

15 (a apple / an apple) 사과 　　**16** (air / an air) 공기

17 (a frog / an frog) 개구리 　　**18** (dog / dogs) 개들

19 (English / an English) 영어 　　**20** (rice / rices) 쌀

21 (an television / a television) 텔레비전 　　**22** (camera / cameras) 카메라들

23 (love / loves) 사랑 　　**24** (butter / butters) 버터

● 다음 명사의 복수형을 만드는 방법을 고르고, 빈칸에 알맞은 형태로 쓰세요.

01 orange 오렌지　☑ + s　☐ + es　☐ y → ies　☐ f(e) → ves　☐ 불규칙
→ four _____oranges_____

02 dish 접시　☐ + s　☐ + es　☐ y → ies　☐ f(e) → ves　☐ 불규칙
→ two _____

03 box 상자　☐ + s　☐ + es　☐ y → ies　☐ f(e) → ves　☐ 불규칙
→ three _____

04 man 남자　☐ + s　☐ + es　☐ y → ies　☐ f(e) → ves　☐ 불규칙
→ two _____

05 bus 버스　☐ + s　☐ + es　☐ y → ies　☐ f(e) → ves　☐ 불규칙
→ five _____

06 wolf 늑대　☐ + s　☐ + es　☐ y → ies　☐ f(e) → ves　☐ 불규칙
→ six _____

07 fox 여우　☐ + s　☐ + es　☐ y → ies　☐ f(e) → ves　☐ 불규칙
→ four _____

08 baby 아기　☐ + s　☐ + es　☐ y → ies　☐ f(e) → ves　☐ 불규칙
→ seven _____

09 knife 칼　☐ + s　☐ + es　☐ y → ies　☐ f(e) → ves　☐ 불규칙
→ ten _____

10 fish 물고기　☐ + s　☐ + es　☐ y → ies　☐ f(e) → ves　☐ 불규칙
→ four _____

◐ 우리말에 맞게 빈칸에 a, an 또는 the[The]를 쓰세요.

01 ___The___ earth is round.
지구는 둥글다.

02 Dolphins live in _____ sea.
돌고래들은 바다에 산다.

03 Look at _____ sky. _____ sky is blue.
하늘을 좀 봐. 하늘이 파래.

04 It is _____ umbrella. _____ umbrella is purple.
그것은 우산이다. 그 우산은 보라색이다.

05 She needs _____ eraser.
그녀는 지우개가 필요하다.

06 It is _____ bicycle. _____ bicycle is old.
그것은 자전거이다. 그 자전거는 오래되었다.

07 _____ girls are my sisters.
그 여자아이들은 내 여동생들이다.

08 It is _____ apple. _____ apple is delicious.
그것은 사과이다. 그 사과는 맛있다.

09 Look at _____ igloos. _____ igloos are warm.
그 이글루들을 좀 봐. 그 이글루들은 따뜻해.

10 I have _____ puppy. _____ puppy is cute.
나는 강아지 한 마리가 있다. 그 강아지는 귀엽다.

Grammar in Sentences

● 알맞은 것을 고르고, 전체 문장을 쓰세요.

01 [I] [want] (cheese)/ a cheese .

→ I want cheese.

02 [It] [is] a egg / an egg .

→ _____

03 [They] [are] leaves / leafes .

→ _____

04 [Two] brushs / brushes [are] [on the table] .

→ _____

05 [He] [has] homework / a homework .

→ _____

06 [It] [is] eraser / an eraser .

→ _____

07 [Look at] the sun / sun .

→ _____

08 [We] [need] money / moneys .

→ _____

UNIT 1 주격 대명사와 be동사

● 다음 주어진 단어를 알맞은 대명사로 바꾸고, (   ) 안에서 알맞은 것을 고르세요.

01 The flowers → ___They___ ((are) / is) in the vase.

02 The milk → _____ (are / is) on the table.

03 Lemons → _____ (are / is) sour.

04 Charles → _____ (are / is) handsome.

05 Tom and Bobby → _____ (are / is) my friends.

06 My mom → _____ (are / is) a dentist.

07 Mark and I → _____ (are / is) at school.

08 The notebook → _____ (are / is) new.

09 The dishes → _____ (are / is) clean.

10 My brother → _____ (are / is) a singer.

● 다음 문장을 지시대로 바꿔 쓰세요.

01 I am a nurse. 나는 간호사이다.

부정문 ➔ I _____ am _____ _____ not _____ a nurse. 나는 간호사가 아니다.

02 She is Korean. 그녀는 한국 사람이다.

의문문 ➔ _____ _____ Korean? 그녀는 한국 사람이니?

03 He is tall. 그는 키가 크다.

부정문 ➔ He _____ tall. 그는 키가 크지 않다.

04 They are students. 그들은 학생들이다.

부정문 ➔ They _____ students. 그들은 학생들이 아니다.

05 You are late. 너는 늦었다.

의문문 ➔ _____ _____ late? 너는 늦었니?

06 Jenny and Mark are at home. 제니와 마크는 집에 있다.

부정문 ➔ Jenny and Mark _____ at home. 제니와 마크는 집에 있지 않다.

07 He is a police officer. 그는 경찰관이다.

의문문 ➔ _____ _____ a police officer? 그는 경찰관이니?

08 They are cats. 그것들은 고양이들이다.

의문문 ➔ _____ _____ cats? 그것들은 고양이들이니?

09 Jessy is in the room. 제시는 방에 있다.

부정문 ➔ Jessy _____ in the room. 제시는 방에 있지 않다.

● 우리말에 맞게 빈칸을 완성하고, ( ) 안에서 알맞은 것을 고르세요.

01 _____This_____ ((is) / are) a robot.　　　이것은 로봇이다.

02 _____ (is / are) her shoes.　　　저것들은 그녀의 신발이다.

03 (Is / Are) _____ a new camera?　　　저것은 새로운 카메라니?

04 _____ aren't (I / my) pencils.　　　이것들은 내 연필들이 아니다.

05 _____ (is / are) computers.　　　저것들은 컴퓨터들이다.

06 (Is / Are) _____ his pants?　　　이것들은 그의 바지니?

07 _____ isn't (we / our) sofa.　　　이것은 우리의 소파가 아니다.

08 (Is / Are) _____ his book?　　　이것은 그의 책이니?

09 _____ isn't (it / its) house.　　　저것은 그것의 집이 아니다.

10 (Is / Are) _____ a pumpkin?　　　이것은 호박이니?

11 _____ isn't (we / our) teacher.　　　이분은 우리의 선생님이 아니다.

12 (Is / Are) _____ her sisters?　　　이 아이들은 그녀의 여동생들이니?

13 _____ are (they / their) cars.　　　저것들은 그들의 차들이다.

14 _____ (isn't / aren't) your bags.　　　이것들은 네 가방들이 아니다.

15 (Is / Are) _____ an onion?　　　저것은 양파니?

● 알맞은 것을 고르고, 전체 문장을 쓰세요.

01 We [is / **are**] firefighters .

→ We are firefighters. _____

02 [Is / Are] you tired ?

→ _____

03 Jack [isn't / aren't] in the classroom .

→ _____

04 [This is / These are] cups .

→ _____

05 This is [you / your] toy .

→ _____

06 The boy [is / are] hungry .

→ _____

07 [That / These] is my sister .

→ _____

08 [Is / Are] she a pianist ?

→ _____

UNIT 1 일반동사의 현재형

● 다음 ( ) 안에서 알맞은 것을 고르세요.

01 She (play / plays) the guitar.　　　그녀는 기타를 연주한다.

02 He (swim / swims) in the pool.　　　그는 수영장에서 수영을 한다.

03 We (eat / eats) cake.　　　우리는 케이크를 먹는다.

04 The boys (read / reads) books.　　　그 남자아이들은 책을 읽는다.

05 My brothers (like / likes) melons.　　　내 남동생들은 멜론을 좋아한다.

06 The cat (jump / jumps) high.　　　그 고양이는 높이 점프한다.

07 The girl (have / has) big eyes.　　　그 여자아이는 큰 눈을 가지고 있다.

08 The balloon (flys / flies) in the sky.　　　그 풍선은 하늘을 날아간다.

09 Mr. Paul (get up / gets up) early.　　　폴 씨는 일찍 일어난다.

10 He (see / sees) stars.　　　그는 별들을 본다.

11 Jane (watchs / watches) TV.　　　제인은 TV를 본다.

12 The dog (catchs / catches) the ball.　　　그 개는 그 공을 잡는다.

13 His son (go / goes) to school.　　　그의 아들은 학교에 간다.

14 Jack and I (drink / drinks) orange juice.　　　잭과 나는 오렌지 주스를 마신다.

15 My sister (washies / washes) the dishes.　　　나의 누나는 설거지를 한다.

● 다음 ( ) 안에서 알맞은 것을 고르고, 주어진 단어를 이용하여 빈칸을 완성하세요.

01 I ((don't) / doesn't) _____teach_____ English. (teach)
나는 영어를 가르치지 않는다.

02 He (don't / doesn't) _____ to work. (go)
그는 일하러 가지 않는다.

03 They (don't / doesn't) _____ chairs. (fix)
그들은 의자를 고치지 않는다.

04 She (don't / doesn't) _____ soccer. (play)
그녀는 축구를 하지 않는다.

05 You (don't / doesn't) _____ the dishes. (wash)
너는 설거지를 하지 않는다.

06 Jack (don't / doesn't) _____ milk. (drink)
잭은 우유를 마시지 않는다.

07 Jim and I (don't / doesn't) _____ snacks. (eat)
짐과 나는 간식을 먹지 않는다.

08 Suji (don't / doesn't) _____ a skirt. (wear)
수지는 치마를 입지 않는다.

09 They (don't / doesn't) _____ fast. (run)
그들은 빨리 달리지 않는다.

10 My dad (don't / doesn't) _____ TV. (watch)
아빠는 TV를 보시지 않는다.

● 다음 ( ) 안에서 알맞은 것을 고르세요.

01 Q (**Do** / Does) you clean the room? 너는 방을 청소하니?
A Yes, I (**do** / does). 응, 그래.

02 Q (Do / Does) he eat carrots? 그는 당근을 먹니?
A Yes, he (do / does). 응, 그래.

03 Q (Do / Does) your friends watch TV? 네 친구들은 TV를 보니?
A No, they (don't / doesn't). 아니, 그렇지 않아.

04 Q (Do / Does) she play the game? 그녀는 게임을 하니?
A Yes, she (do / does). 응, 그래.

05 Q (Do / Does) they wash their hands? 그들은 손을 씻니?
A No, they (don't / doesn't). 아니, 그렇지 않아.

06 Q (Do / Does) you go to school? 너는 학교에 가니?
A No, I (don't / doesn't). 아니, 그렇지 않아.

07 Q (Do / Does) your dog bark? 네 개는 짖니?
A Yes, it (do / does). 응, 그래.

08 Q (Do / Does) Jin water the flowers? 진은 꽃에 물을 주니?
A No, she (don't / doesn't). 아니, 그렇지 않아.

09 Q (Do / Does) your parents sleep? 네 부모님은 주무시니?
A Yes, they (do / does). 응, 그러셔.

10 Q (Do / Does) your brother speak English? 네 남동생은 영어를 하니?
A No, he (don't / doesn't). 아니, 그렇지 않아.

● 알맞은 것을 고르고, 전체 문장을 쓰세요.

01 She   take / (takes)   a shower .

→ She takes a shower.

02 His brother   passes / pass   the ball .

→ _____

03 Tim and Jane   ride / rides   horses .

→ _____

04 Sara   have / has   an eraser .

→ _____

05 Alice and I   don't / doesn't   like   tomatoes .

→ _____

06 You   don't / doesn't   wash   the dishes .

→ _____

07 Do / Does   your sister   clean   the room ?

→ _____

08 Do / Does   they   eat   lunch ?

→ _____

CHAPTER 4 의문사 의문문

UNIT 1 의문사 + be동사 의문문

● 다음 보기에서 알맞은 것을 골라 빈칸을 완성하고, (　) 안에서 알맞은 것을 고르세요.

보기	who	what	where

01 Q ____Who____ (**is** / are) the girl? 그 여자아이는 누구니?

A She is my friend. 그녀는 내 친구야.

02 Q _____ (is / are) your name? 네 이름은 무엇이니?

A My name is Ann. 내 이름은 앤이야.

03 Q _____ (is / are) they? 그들은 어디에 있니?

A They're at the bank. 그들은 은행에 있어.

04 Q _____ (is / are) the cat? 그 고양이는 어디에 있니?

A It's on the bed. 그것은 침대 위에 있어.

05 Q _____ (is / are) they? 그것들은 무엇이니?

A They are rulers. 그것들은 자들이야.

06 Q _____ (is / are) these? 이것들은 무엇이니?

A They are my dolls. 그것들은 내 인형들이야.

07 Q _____ (is / are) this? 이분은 누구시니?

A This is my aunt. 이분은 나의 이모셔.

08 Q _____ (is / are) the men? 저 남자들은 누구니?

A They are police officers. 그들은 경찰관들이야.

09 Q _____ (is / are) she? 그녀는 어디에 있니?

A She is at home. 그녀는 집에 있어.

10 Q _____ (is / are) those? 저것들은 무엇이니?

A They are her glasses. 그것들은 그녀의 안경이야.

● 우리말에 맞게 주어진 단어를 이용하여 의문문으로 바꾸세요.

01 그들은 무엇을 좋아하니?

→ ___What___ ___do___ they ___like___ ? (like)

02 그는 무엇을 원하니?

→ _____ _____ he _____ ? (want)

03 너는 무엇이 필요하니?

→ _____ _____ you _____ ? (need)

04 Nancy(낸시)는 무엇을 공부하니?

→ _____ _____ Nancy _____ ? (study)

05 그녀는 무엇을 즐기니?

→ _____ _____ she _____ ? (enjoy)

06 네 부모님은 무엇을 보시니?

→ _____ _____ your parents _____ ? (watch)

07 네 여동생은 무엇을 만드니?

→ _____ _____ your sister _____ ? (make)

08 그녀는 무엇을 먹니?

→ _____ _____ she _____ ? (eat)

09 네 사촌들은 무엇을 가지고 있니?

→ _____ _____ your cousins _____ ? (have)

10 John(존)은 무엇을 읽니?

→ _____ _____ John _____ ? (read)

◐ 다음 ( ) 안에서 알맞은 것을 고르세요.

01   **Q** (How old / How) are you? 너는 몇 살이니?
    A I'm twelve years old. 나는 열두 살이야.

02   **Q** (What color / What day) is it? 그것은 무슨 색이니?
    A It's green. 그것은 초록색이야.

03   **Q** (What time / What day) is it? 무슨 요일이니?
    A It's Friday. 금요일이야.

04   **Q** (How / What) is the weather today? 오늘 날씨가 어떠니?
    A It's cloudy. 흐려.

05   **Q** (What / How) are you? 너는 어떻게 지내니?
    A I'm good. 나는 잘 지내.

06   **Q** (What time / What day) is it now? 지금 몇 시니?
    A It's ten o'clock. 열 시야.

07   **Q** (How / What color) is your umbrella? 네 우산은 무슨 색이니?
    A It's pink. 핑크색이야.

08   **Q** (How old / What day) is she? 그녀는 몇 살이니?
    A She's thirteen years old. 그녀는 열세 살이야.

09   **Q** (How / What) is the weather? 날씨가 어떠니?
    A It's sunny. 화창해.

10   **Q** (What day / What color) is your bag? 네 가방은 무슨 색이니?
    A It's red. 그것은 빨간색이야.

● 우리말에 맞게 알맞은 것을 고르고, 전체 문장을 쓰세요.

01 그 남자아이는 누구니?

(Who) / Where   is   the boy ?

→ Who is the boy?

02 이것들은 무엇이니?

Who / What   are   these ?

→ _____

03 너는 점심으로 무엇을 먹니?

What do / What does   you   eat   for lunch ?

→ _____

04 그는 무엇을 배우니?

What do / What does   he   learn ?

→ _____

05 무슨 요일이니?

What / How   day / color   is   it ?

→ _____

06 네 남동생은 몇 살이니?

How / How old   is   your brother ?

→ _____

UNIT 1 조동사 can의 긍정문과 부정문

🔘 다음 ( ) 안에서 알맞은 것을 고르세요.

01 I (can / can't) play the piano.

나는 피아노를 칠 수 있다.

02 Josh (can / cannot) dance well.

조시는 춤을 잘 출 수 없다.

03 He can't (drive / drives) a car.

그는 차를 운전할 수 없다.

04 You (can speak / speak can) English.

너는 영어를 할 수 있다.

05 They (can't / don't can) answer the question.

그들은 그 질문에 답할 수 없다.

06 My mom (can / cans) (run / runs) fast.

우리 엄마는 빨리 달리실 수 있다.

07 He (cannot / not can) get up early.

그는 일찍 일어날 수 없다.

08 A horse (can / can't) (fly / flies).

말은 날 수 없다.

09 Lilly (can ride / ride can) a bicycle.

릴리는 자전거를 탈 수 있다.

10 The man (can't make / make can't) Chinese food.

그 남자는 중국 음식을 만들 수 없다.

다음 주어진 문장을 의문문으로 바꾼 다음, 알맞은 대답을 고르세요.

01 You can cook.   →   ___Can___ you ___cook___ ?

☑ No, I can't.   ☐ No, I can.

02 She can sing well.   → _____ _____ sing well?

☐ No, she can't.   ☐ Yes, she can't.

03 The boy can play the violin. → _____ the boy _____ the violin?

☐ Yes, they can.   ☐ Yes, he can.

04 They can swim.   → _____ they _____ ?

☐ Yes, they can't.   ☐ Yes, they can.

05 Sam can fix the TV.   → _____ _____ fix the TV?

☐ Yes, he can.   ☐ Yes, you can.

06 It can jump high.   → _____ it _____ high?

☐ No, it can't.   ☐ No, they can't.

07 He can skate.   → _____ _____ skate?

☐ No, he can.   ☐ No, he can't.

08 You can lift this box.   → _____ _____ lift this box?

☐ Yes, she can.   ☐ Yes, I can.

09 She can ride a horse.   → _____ she _____ a horse?

☐ Yes, she can't.   ☐ No, she can't.

10 They can bake cookies.   → _____ _____ bake cookies?

☐ Yes, they can.   ☐ Yes, I can.

Grammar in Sentences

● 우리말에 맞게 알맞은 것을 고르고, 전체 문장을 쓰세요.

01 곰은 날 수 없다.

| The bears | can / ~~can't~~ | fly | .

→ The bears can't fly.

02 우리 아빠는 드럼을 치실 수 있다.

| My dad | can | play / plays | the drums | .

→ _____

03 Jane(제인)은 바다에서 수영할 수 있다.

| Jane | can / cans | swim | in the sea | .

→ _____

04 그는 그 수학 문제를 풀 수 있니?

| Can | he | solve / solves | the math problem | ?

→ _____

05 너의 형은 트럭을 운전할 수 있니?

| Can | your brother | drives / drive | a truck | ?

→ _____

06 그녀는 중국어를 할 수 있다.

| She | can / can't | speak | Chinese | .

→ _____

UNIT 1   현재진행형의 긍정문

🔵 다음 ( ) 안에서 알맞은 것을 고르고, 주어진 단어를 이용하여 현재진행형 문장을 완성하세요.

01   I ((am) / are / is) ___playing___ the violin. (play)
나는 바이올린을 연주하고 있다.

02   She (am / are / is) _____ a book. (read)
그녀는 책을 읽고 있다.

03   They (am / are / is) _____ . (swim)
그들은 수영을 하고 있다.

04   The girl (am / are / is) _____ a letter. (write)
그 여자아이는 편지를 쓰고 있다.

05   Sam (am / are / is) _____ on the chair. (sit)
샘은 의자에 앉아 있다.

06   The kids (am / are / is) _____ bread. (eat)
그 아이들은 빵을 먹고 있다.

07   Roy (am / are / is) _____ . (dance)
로이는 춤을 추고 있다.

08   The boys (am / are / is) _____ their hands. (wash)
그 남자아이들은 손을 씻고 있다.

09   We (am / are / is) _____ . (run)
우리는 뛰고 있다.

10   He (am / are / is) _____ the bell. (ring)
그는 그 종을 울리고 있다.

UNIT 2 현재진행형의 부정문

● 다음 ( ) 안에서 알맞은 것을 고르세요.

01 She ((is not) / not is) taking a shower.
그녀는 샤워를 하고 있지 않다.

02 My sister is not (sleep / sleeping).
내 여동생은 자고 있지 않다.

03 Jack and Dave are not (run / running).
잭과 데이브는 달리고 있지 않다.

04 He (isn't / aren't) drawing a picture.
그는 그림을 그리고 있지 않다.

05 Ted (isn't / aren't) (listen / listening) to music.
테드는 음악을 듣고 있지 않다.

06 They (are not / not are) (useing / using) the brush.
그들은 그 붓을 사용하고 있지 않다.

07 You aren't (water / watering) the flowers.
너는 꽃에 물을 주고 있지 않다.

08 I (am not / not am) washing my hands.
나는 손을 씻고 있지 않다.

09 He (not is / is not) (swimming / swims) in the pool.
그는 수영장에서 수영을 하고 있지 않다.

10 Amy isn't (clean / cleaning).
에이미는 청소하고 있지 않다.

● 다음 주어진 문장을 현재진행형 의문문으로 바꿀 때, 빈칸에 알맞은 말을 쓰세요.

01 He helps his mom. 그는 그의 엄마를 도와드린다.

→ _____Is_____ he ____helping____ his mom? 그는 그의 엄마를 도와드리고 있니?

02 You go home. 너는 집에 간다.

→ _____ you _____ home? 너는 집에 가고 있니?

03 She wears a cap. 그녀는 야구모자를 쓴다.

→ _____ she _____ a cap? 그녀는 야구모자를 쓰고 있니?

04 The man drives a car. 그 남자는 차를 운전한다.

→ _____ the man _____ a car? 그 남자는 차를 운전하고 있니?

05 They drink milk. 그들은 우유를 마신다.

→ _____ they _____ milk? 그들은 우유를 마시고 있니?

06 The dog barks. 그 개는 짖는다.

→ _____ the dog _____? 그 개는 짖고 있니?

07 She watches TV. 그녀는 TV를 본다.

→ _____ she _____ TV? 그녀는 TV를 보고 있니?

08 Joey brushes her teeth. 조이는 이를 닦는다.

→ _____ Joey _____ her teeth? 조이는 이를 닦고 있니?

09 He plays soccer. 그는 축구를 한다.

→ _____ he _____ soccer? 그는 축구를 하고 있니?

10 Ken and Sam cut the tree. 켄과 샘은 나무를 자른다.

→ _____ Ken and Sam _____ the tree? 켄과 샘은 나무를 자르고 있니?

Grammar in Sentences

●● 우리말에 맞게 알맞은 것을 고르고, 전체 문장을 쓰세요.

01 그 고양이는 벤치에 앉아 있다.

| The cat | is | siting / ⟨sitting⟩ | on the bench | .

→ The cat is sitting on the bench.

02 그 아기들은 웃고 있다.

| The babies | is / are | smiling | .

→ _____

03 그는 연을 날리고 있지 않다.

| He | is not / not is | flying | a kite | .

→ _____

04 그들은 사진을 찍고 있지 않다.

| They | aren't | take / taking | pictures | .

→ _____

05 그녀는 빵을 먹고 있니?

| Is / Are | she | eating | bread | ?

→ _____

06 그들은 수학을 공부하고 있니?

| Are | they | study / studying | math | ?

→ _____

UNIT 1 명령문

◐ 다음 주어진 문장을 명령문으로 바꿀 때, 빈칸에 알맞은 말을 쓰세요.

01 You sit down. → ___Sit___ down.

02 You are careful. → _____ careful.

03 You don't make mistakes. → _____ _____ mistakes.

04 You don't tell lies. → _____ lies.

05 You turn off the TV. → _____ _____ the TV.

06 You are quiet. → _____ quiet.

07 You don't worry. → _____ _____.

08 You are nice to your friend. → _____ nice to your friend.

09 You get up early. → _____ _____ early.

10 You don't take a taxi. → _____ a taxi.

11 You open the window. → _____ the window.

12 You brush your teeth. → _____ your teeth.

13 You aren't afraid. → _____ _____ afraid.

14 You wash the dishes. → _____ the dishes.

15 You aren't sad. → _____ _____ sad.

◖◗ 우리말에 맞게 주어진 단어를 이용하여 문장을 완성하세요.

01 점심을 먹자.

→ _____Let's_____ _____eat_____ lunch. (eat)

02 밖에 나가지 말자.

→ _____ _____ outside. (go)

03 버스를 타자.

→ _____ _____ a bus. (take)

04 집에 계속 있자.

→ _____ _____ at home. (stay)

05 음악을 듣지 말자.

→ _____ _____ to music. (listen)

06 피자를 만들자.

→ _____ _____ a pizza. (make)

07 주스를 마시지 말자.

→ _____ _____ juice. (drink)

08 영어를 공부하자.

→ _____ _____ English. (study)

09 게임을 하자.

→ _____ _____ games. (play)

10 사진을 찍지 말자.

→ _____ _____ a picture. (take)

● 우리말에 맞게 알맞은 것을 고르고, 전체 문장을 쓰세요.

01 교실에서 조용히 해라.

(Be) / Is   quiet   in the classroom .

→ Be quiet in the classroom.

02 숙제를 해라.

Do / Don't   your homework .

→ _____

03 자전거를 타지 마라.

Not / Don't   ride   a bicycle .

→ _____

04 햄버거를 먹자.

Let's   eat / eats   hamburgers .

→ _____

05 바다에서 수영을 하지 말자.

Let's / Let's not   swim   in the sea .

→ _____

06 솔직해지자.

Let's   be / are   honest .

→ _____

단어 따라 쓰기 연습지

단어 따라 쓰기 연습지로 **초등 필수 영단어까지 한 번에!**

일러두기

☑ 교재에 등장한 **교육부 지정 초등 필수 영단어**를 모두 정리했어요.

☑ **셀 수 있는 명사의 복수형, 동사의 3인칭 단수형**까지 함께 공부할 수 있어요.

CHAPTER 1 | 다음 단어의 뜻을 확인하고, 세 번씩 따라 써보세요.

UNIT 1

1	**like** (likes)	좋아하다	like like like
2	**cat** (cats)	고양이	
3	**tree** (trees)	나무	
4	**box** (boxes)	상자	
5	**egg** (eggs)	달걀	
6	**umbrella** (umbrellas)	우산	
7	**bread**	빵	
8	**cheese**	치즈	
9	**butter**	버터	
10	**sugar**	설탕	
11	**salt**	소금	
12	**rice**	쌀	
13	**sand**	모래	

14 water	물	
15 milk	우유	
16 juice	주스	
17 air	공기	
18 English	영어	
19 math	수학	
20 soccer	축구	
21 basketball	농구	
22 Korea	한국	
23 London	런던 (영국의 수도)	
24 time	시간	
25 love	사랑	
26 hope	희망	
27 money	돈	
28 homework	숙제	
29 cookie (cookies)	쿠키	
30 honey	꿀	
31 horse (horses)	말	
32 house (houses)	집	
33 piano (pianos)	피아노	

34 **apple** (apples)	사과	
35 **chair** (chairs)	의자	
36 **bird** (birds)	새	
37 **snow**	눈	
38 **girl** (girls)	여자아이	
39 **orange** (oranges)	오렌지	
40 **watch** (watches)	손목시계	
41 **puppy** (puppies)	강아지	
42 **desk** (desks)	책상	
43 **have** (has)	가지고 있다; 먹다	
44 **pencil** (pencils)	연필	
45 **know** (knows)	알다	
46 **listen** (listens)	듣다	
47 **music**	음악	
48 **need** (needs)	필요하다	
49 **kid** (kids)	아이	
50 **play** (plays)	(게임 등을)하다; 놀다; 연주하다	
51 **want** (wants)	원하다, 바라다	
52 **toy** (toys)	장난감	

1	**boy** (boys)	남자아이	
2	**dog** (dogs)	개	
3	**book** (books)	책	
4	**bus** (buses)	버스	
5	**class** (classes)	수업	
6	**dish** (dishes)	접시	
7	**brush** (brushes)	붓, 솔	
8	**church** (churches)	교회	
9	**fox** (foxes)	여우	
10	**baby** (babies)	아기	
11	**city** (cities)	도시	
12	**leaf** (leaves)	잎	
13	**wolf** (wolves)	늑대	
14	**knife** (knives)	칼	
15	**man** (men)	(성인) 남자	
16	**woman** (women)	(성인) 여자	
17	**foot** (feet)	발	
18	**tooth** (teeth)	이, 치아	
19	**child** (children)	아이	

20	**mouse** (mice)	쥐	
21	**fish** (fish)	물고기; 생선	
22	**sheep** (sheep)	양	
23	**bench** (benches)	벤치	
24	**candy** (candies)	사탕	
25	**flower** (flowers)	꽃	
26	**table** (tables)	탁자, 테이블	
27	**between**	~ 사이에	
28	**peach** (peaches)	복숭아	

UNIT 3

1	**see** (sees)	보다	
2	**moon**	달	
3	**cup** (cups)	컵	
4	**rabbit** (rabbits)	토끼	
5	**window** (windows)	창문	
6	**ant** (ants)	개미	
7	**eraser** (erasers)	지우개	
8	**igloo** (igloos)	이글루	
9	**owl** (owls)	부엉이, 올빼미	

10	**onion** (onions)	양파	
11	**octopus** (octopuses)	문어	
12	**uncle** (uncles)	삼촌, 고모부, 이모부	
13	**so**	정말, 너무	
14	**cute**	귀여운	
15	**sun**	해, 태양	
16	**sky**	하늘	
17	**sea**	바다	
18	**earth**	지구	
19	**friend** (friends)	친구	
20	**cut** (cuts)	자르다	
21	**ball** (balls)	공	
22	**elephant** (elephants)	코끼리	
23	**look at** (looks at)	~을 보다	
24	**aunt** (aunts)	이모, 고모, 숙모	
25	**goat** (goats)	염소	
26	**happy**	행복한	
27	**round**	둥근	
28	**bicycle** (bicycles)	자전거	
29	**green**	초록색의; 초록색	

30	**yellow**	노란색의; 노란색	
31	**balloon** (balloons)	풍선	
32	**car** (cars)	자동차	
33	**new**	새, 새로운	
34	**swim** (swims)	수영하다, 헤엄치다	
35	**spider** (spiders)	거미	

CH 1 | EXERCISE

1	**bag** (bags)	가방	
2	**wife** (wives)	아내, 부인	
3	**fork** (forks)	포크	
4	**banana** (bananas)	바나나	
5	**map** (maps)	지도	
6	**live** (lives)	살다	
7	**glasses**	안경	
8	**bike** (bikes)	자전거	
9	**blue**	파란색의; 파란색	
10	**big**	큰	
11	**dress** (dresses)	드레스, 원피스	
12	**frog** (frogs)	개구리	

UNIT 1

1	**great**	정말 좋은; 멋진	
2	**at home**	집에	
3	**tall**	키가 큰	
4	**honest**	정직한	
5	**magician** (magicians)	마술사	
6	**hungry**	배고픈	
7	**firefighter** (firefighters)	소방관	
8	**soccer player** (soccer players)	축구 선수	
9	**butterfly** (butterflies)	나비	
10	**famous**	유명한	
11	**living room** (living rooms)	거실	
12	**hamster** (hamsters)	햄스터	
13	**park** (parks)	공원	
14	**busy**	바쁜	
15	**sister** (sisters)	언니, 누나, 여동생	
16	**classmate** (classmates)	반 친구	
17	**movie** (movies)	영화	

18	**fun**	재미있는, 즐거운	
19	**grandpa** (grandpas)	할아버지	
20	**kitchen** (kitchens)	부엌	
21	**computer** (computers)	컴퓨터	
22	**old**	낡은, 오래된; 늙은	
23	**pilot** (pilots)	비행기 조종사	
24	**calendar** (calendars)	달력	
25	**river** (rivers)	강	
26	**long**	(길이가) 긴	
27	**pianist** (pianists)	피아니스트	
28	**grape** (grapes)	포도	
29	**delicious**	맛있는	
30	**singer** (singers)	가수	
31	**actor** (actors)	배우	
32	**dad** (dads)	아빠	
33	**room** (rooms)	방	
34	**rose** (roses)	장미	
35	**pink**	분홍색의; 분홍색	
36	**short**	(길이가) 짧은	
37	**baseball player** (baseball players)	야구 선수	

38	**dentist** (dentists)	치과 의사	
39	**basket** (baskets)	바구니	
40	**panda** (pandas)	판다	
41	**sleepy**	졸리는	
42	**cold**	차가운, 추운	
43	**bus driver** (bus drivers)	버스 운전사	
44	**scientist** (scientists)	과학자	
45	**teacher** (teachers)	선생님	
46	**pond** (ponds)	연못	
47	**grandma** (grandmas)	할머니	

UNIT 2

1	**brother** (brothers)	형, 오빠, 남동생	
2	**post office** (post offices)	우체국	
3	**clean**	깨끗한	
4	**twin** (twins)	쌍둥이	
5	**Australia**	호주	
6	**student** (students)	학생	
7	**nurse** (nurses)	간호사	
8	**doctor** (doctors)	의사	

9	sad	슬픈	
10	neighbor (neighbors)	이웃	
11	late	늦은, 지각한; 늦게	
12	cook (cooks)	요리사	
13	dancer (dancers)	무용수, 댄서	
14	brown	갈색의; 갈색	
15	shoes	신발	
16	police officer (police officers)	경찰관	
17	farmer (farmers)	농부	
18	France	프랑스	
19	train (trains)	기차	
20	fast	빠른; 빨리	
21	angry	화가 난	
22	cousin (cousins)	사촌	

UNIT 3

1	socks	양말	
2	parents	부모님	
3	kite (kites)	연	
4	tiger (tigers)	호랑이	

5	**notebook** (notebooks)	공책	
6	**hat** (hats)	모자	
7	**camera** (cameras)	카메라	

CH 2 | EXERCISE + REVIEW (CH1-2)

1	**lamp** (lamps)	램프, 등	
2	**grandmother** (grandmothers)	할머니	
3	**tennis player** (tennis players)	테니스 선수	
4	**turtle** (turtles)	거북	
5	**slow**	느린	
6	**giraffe** (giraffes, giraffe)	기린	
7	**pencil case** (pencil cases)	필통	
8	**classroom** (classrooms)	교실	
9	**model** (models)	모델	
10	**pants**	바지	
11	**painter** (painters)	화가	
12	**coat** (coats)	코트	
13	**snake** (snakes)	뱀	
14	**glove** (gloves)	장갑; (야구용) 글러브	

15	Seoul	서울	

CHAPTER 3	다음 단어의 뜻을 확인하고, 세 번씩 따라 써보세요.

UNIT 1

1	**read** (reads)	읽다	
2	**eat** (eats)	먹다	
3	**pass** (passes)	패스하다; 건네주다	
4	**wash** (washes)	닦다	
5	**fix** (fixes)	고치다	
6	**go** (goes)	가다	
7	**do** (does)	(어떤 동작을) 하다	
8	**cry** (cries)	울다	
9	**fly** (flies)	날다; 날리다	
10	**study** (studies)	공부하다	
11	**monkey** (monkeys)	원숭이	
12	**rise** (rises)	(해가) 뜨다; 올라가다	
13	**clean** (cleans)	청소하다	
14	**school**	학교	
15	**garden** (gardens)	정원	

16	**drive** (drives)	운전하다
17	**watch** (watches)	보다, 지켜보다
18	**news**	뉴스
19	**speak** (speaks)	말하다
20	**mom** (moms)	엄마
21	**teach** (teaches)	가르치다
22	**art**	미술, 예술
23	**brush** (burshes)	빗질하다
24	**hair**	머리카락, 털
25	**Busan**	부산
26	**tail** (tails)	꼬리
27	**wash the dishes**	설거지하다
28	**table tennis**	탁구
29	**work** (works)	직장; 일; 일하다
30	**make** (makes)	만들다
31	**dance** (dances)	춤추다
32	**well**	잘
33	**brush one's teeth**	이를 닦다

1 **pen** (pens)	펜	
2 **draw** (draws)	그리다	
3 **picture** (pictures)	그림; 사진	
4 **breakfast**	아침식사	
5 **name** (names)	이름	
6 **TV** (= television)	텔레비전, TV	
7 **chicken** (chickens)	닭	
8 **comic book** (comic books)	만화책	
9 **use** (uses)	사용하다, 이용하다	
10 **pet** (pets)	반려동물	
11 **wear** (wears)	입고[쓰고, 신고] 있다	
12 **skirt** (skirts)	치마	
13 **sports**	스포츠	
14 **ride** (rides)	타다	
15 **violin** (violins)	바이올린	
16 **truck** (trucks)	트럭	
17 **taxi** (taxis)	택시	
18 **cap** (caps)	야구모자	
19 **meat**	고기	

20	**action movie** (action movies)	액션 영화	
21	**library** (libraries)	도서관	

UNIT 3

1	**hamburger** (hamburgers)	햄버거	
2	**airport** (airports)	공항	
3	**animal** (animals)	동물	
4	**sing** (sings)	노래하다	
5	**baseball**	야구	
6	**doll** (dolls)	인형	
7	**get up** (gets up)	일어나다	
8	**early**	일찍	
9	**scissors**	가위	
10	**restaurant** (restaurants)	식당, 레스토랑	
11	**coffee**	커피	
12	**bark** (barks)	짖다	
13	**song** (songs)	노래	
14	**game** (games)	게임; 경기	
15	**store** (stores)	가게, 상점	
16	**sell** (sells)	팔다	

1 **try** (tries)	시도하다	
2 **come** (comes)	오다	
3 **dinner**	저녁식사	
4 **tennis**	테니스	
5 **close** (closes)	(문 등을) 닫다	
6 **p.m.**	오후	
7 **apartment** (apartments)	아파트	
8 **here**	여기에	
9 **vegetable** (vegetables)	채소, 야채	
10 **look** (looks)	~해 보이다	
11 **science**	과학	
12 **chocolate**	초콜릿	
13 **album** (albums)	앨범	

CHAPTER 4 | 다음 단어의 뜻을 확인하고, 세 번씩 따라 써보세요.

UNIT 1

1 **crayon** (crayons)	크레용	
2 **backpack** (backpacks)	책가방, 배낭	

3	soccer ball (soccer balls)	축구공	
4	tape (tapes)	테이프	
5	bank (banks)	은행	
6	watermelon (watermelons)	수박	
7	bed (beds)	침대	
8	ruler (rulers)	자	
9	best friend (best friends)	가장 친한 친구	

UNIT 2

1	ice cream	아이스크림	
2	skateboard (skateboards)	스케이트보드	
3	carrot (carrots)	당근	
4	bake (bakes)	굽다	
5	lunch	점심식사	
6	pizza	피자	
7	grass	풀, 잔디	
8	open (opens)	열다	
9	door (doors)	문	
10	mother (mothers)	어머니	
11	novel (novels)	소설	

1	color (colors)	색	
2	o'clock	~시 (정각)	
3	day (days)	요일; 하루	
4	Sunday	일요일	
5	fine	괜찮은, 좋은	
6	weather	날씨	
7	rainy	비가 많이 오는	
8	year (years)	~살, 나이; 해, 년	
9	old	나이가 ~인	
10	today	오늘	
11	snowy	눈이 많이 내리는	
12	Monday	월요일	
13	Friday	금요일	
14	sunny	화창한	
15	good	좋은, 괜찮은	
16	red	빨간색의; 빨간색	
17	now	지금	
18	Saturday	토요일	

1	swimming	수영	
2	after school	방과 후에	
3	purple	보라색의; 보라색	
4	windy	바람이 많이 부는	
5	Tuesday	화요일	
6	winter	겨울	

| **CHAPTER 5** | 다음 단어의 뜻을 확인하고, 세 번씩 따라 써보세요.

UNIT 1

1	**robot** (robots)	로봇	
2	**pasta**	파스타	
3	**climb** (climbs)	오르다, 올라가다	
4	**solve** (solves)	풀다, 해결하다	
5	**problem** (problems)	문제	
6	**blow up** (blows up)	(풍선 등에) 공기를 넣다	
7	**run** (runs)	달리다, 뛰다	
8	**chess**	체스	
9	**father** (fathers)	아버지	

10	**penguin** (penguins)	펭귄	
11	**Chinese**	중국어	
12	**taekwondo**	태권도	
13	**guitar** (guitars)	기타	

UNIT 2

1	**Japanese**	일본어	
2	**catch** (catches)	잡다	
3	**jump rope** (jump ropes)	줄넘기를 하다; 줄넘기	
4	**dive** (dives)	다이빙하다	
5	**lift** (lifts)	들어 올리다	
6	**yoga**	요가	
7	**drum** (drums)	드럼, 북	
8	**skate** (skates)	스케이트를 타다	
9	**cheetah** (cheetahs)	치타	
10	**jump** (jumps)	뛰다, 점프하다	
11	**high**	높이; 높은	
12	**Spanish**	스페인어	

1	**golf**	골프	
2	**fan** (fans)	선풍기; 부채	
3	**win** (wins)	이기다	
4	**French**	프랑스어	
5	**chopstick** (chopsticks)	젓가락 (한 짝)	
6	**ostrich** (ostriches)	타조	
7	**move** (moves)	옮기다; 이동하다	
8	**bathroom** (bathrooms)	화장실	

| **CHAPTER 6** | 다음 단어의 뜻을 확인하고, 세 번씩 따라 써보세요.

UNIT 1

1	**sleep** (sleeps)	(잠을) 자다	
2	**write** (writes)	(글자를) 쓰다	
3	**sit** (sits)	앉다	
4	**begin** (begins)	시작하다	
5	**cut** (cuts)	자르다	
6	**take a picture**	사진을 찍다	
7	**smile** (smiles)	웃다, 미소를 짓다	

8	**paint** (paints)	(그림물감으로) 그리다; 페인트칠 하다	
9	**lake** (lakes)	호수	
10	**e-mail** (e-mails)	이메일	
11	**sandwich** (sandwiches)	샌드위치	
12	**carry** (carries)	나르다, 들고 있다	
13	**cake** (cakes)	케이크 한 개	

UNIT 2

1	**bear** (bears)	곰	
2	**buy** (buys)	사다, 구매하다	
3	**fruit** (fruits)	과일	
4	**take a bus**	버스를 타다	
5	**wash one's face**	세수하다	
6	**tourist** (tourists)	관광객	
7	**help** (helps)	돕다	
8	**roof** (roofs)	지붕	
9	**hand** (hands)	손	
10	**tea**	(음료로서의) 차	

1	flute (flutes)	플루트	
2	snowman (snowmen)	눈사람	
3	pool (pools)	수영장	
4	take a shower	샤워를 하다	
5	learn (learns)	배우다	
6	pie (pies)	파이	
7	wall (walls)	벽	

CH 6 | EXERCISE + REVIEW (CH5-6)

1	history	역사	
2	sofa (sofas)	소파	
3	radio	라디오	
4	paper	종이	

UNIT 1

1	**careful**	조심하는, 주의 깊은	
2	**hurry up** (hurries up)	서두르다	
3	**please**	제발, 부디	
4	**quiet**	조용한	
5	**touch** (touches)	만지다	
6	**turn on** (turns on)	(전기·가스·수도 등을) 켜다	
7	**noise**	(시끄러운) 소리, 소음	
8	**stand up** (stands up)	서다, 서 있다	
9	**raise** (raises)	들어 올리다	
10	**shy**	수줍음을 많이 타는	
11	**lie** (lies)	거짓말하다	
12	**go to bed**	잠자리에 들다	
13	**noisy**	시끄러운	
14	**light** (lights)	(전깃)불, (전)등; 빛	
15	**wait** (waits)	기다리다	
16	**minute** (minutes)	(시간 단위의) 분	
17	**floor** (floors)	바닥	

18	wet	젖은	
19	fast food	패스트푸드	
20	polite	예의 바른, 공손한	
21	cross (crosses)	건너다, 가로지르다	
22	street (streets)	거리, 도로	
23	in class	수업 중에	
24	afraid	두려워하는, 무서워하는	

UNIT 2

1	slide (slides)	미끄럼틀	
2	go shopping	쇼핑하러 가다	
3	outside	밖으로, 밖에	
4	meet (meets)	만나다	
5	tomorrow	내일	
6	stay (stays)	계속 있다, 머무르다	
7	hiking	하이킹, 도보 여행	
8	take a walk	산책하다	
9	soda	탄산음료	

1	**call** (calls)	부르다; 전화하다	
2	**bring** (brings)	가져오다	
3	**cartoon** (cartoons)	만화	
4	**visit** (visits)	방문하다	

FINAL TEST 1-2회

1	**thirsty**	목이 마른	
2	**salad** (salads)	샐러드	
3	**Thursday**	목요일	
4	**bright**	밝은	
5	**America**	미국	
6	**zoo** (zoos)	동물원	
7	**letter** (letters)	편지	